まえがき
税法学習は、税理士への真の第一歩！

　本書を手にしたみなさんの多くは、税理士試験の会計科目（簿記論、財務諸表論）の受験をされた方や無事合格された方だと思います。よくぞ、ここまで来られました！

　そして、いよいよ税法科目の学習をはじめようとされる方にあらためて伝えておきたいことがあります。それは、税理士とは「税法のプロフェッショナルであり、法律家である」ということです。

　ですから、税法の学習は税理士への真の第一歩を踏み出したことになります。

　ここからまた気を引き締めていけば、税理士試験の合格も間近です。

　さて、ネットスクールでは税理士試験を目指す方への資格支援の学校として、画期的なことを行いました。それは、本来、高額な受講料を払ってのみ手にすることのできる講座使用教材を書店やネットショップで市販することでした。

　これにより、独学者にも平等に合格を目指す機会を提供することができましたし、また、独学者が同じ教材を使用して講座学習に切り替えられるという利便性を高めることができました。

　一方で、講座使用教材を誰もが購入できるということは、講座の付加価値の希薄化を招き、さらには講座のノウハウの流出というリスクも抱えてしまうことになりかねません。

　しかしそれでも、人生を賭けてチャレンジする受験生にとってよりよい教材は生命線であり、その気持ちを想像したときに、講座使用教材を市販することについて一縷の迷いも生じることはありませんでした。さらに言えば、講座のノウハウとして主要な要素である講師からの説明を側注として書き添えることで、独学でもより理解の深まる教科書に仕上げることに注力いたしました。

　合格するための状況は我々が整えます。

　みなさんは、この本で勇気を持って始め、本気で学んでください。

　そうすれば、みなさん自身ばかりではなく、みなさんの周りの人たちをも幸せにできる、そんな人生が開けてきます。

　さあ、この一歩、いま踏み出しましょう！

税理士WEB講座
講師一同

目次
Contents

税理士試験　教科書・問題集
消費税法I　基礎導入編

本書の構成・特長 ······················· iii
著者からのメッセージ ··················· iv
ネットスクールの税理士WEB講座 ········· v
税理士試験合格に向けた学習 ············· vi
ネットスクールWEB講座　合格者の声 ····· viii
試験概要／法令等の改正情報の公開について ······ x

教科書編

Chapter1　消費税とは I
Section 1　消費税法の概要 ·············· 1-2 （14）
Section 2　消費税の性格 ················ 1-4 （16）
Section 3　消費税の仕組み ·············· 1-7 （19）
Section 4　納付税額の計算方法 ·········· 1-8 （20）

Chapter2　課税の対象 I
Section 1　課税の対象の概要 ············ 2-2 （26）
Section 2　国内取引の課税の対象 ········ 2-3 （27）
Section 3　輸入取引の課税の対象 ········ 2-12 （36）

Chapter3　非課税取引 I
Section 1　非課税取引の概要 ············ 3-2 （40）
Section 2　国内取引の非課税 ············ 3-3 （41）

Chapter4　免税取引 I
Section 1　免税取引の概要 ·············· 4-2 （54）
Section 2　輸出取引等に係る免税 ········ 4-3 （55）

Chapter5　課税標準及び税率 I
Section 1　課税標準の概要 ·············· 5-2 （60）
Section 2　国内取引の課税標準 ·········· 5-3 （61）
Section 3　税率 ························ 5-7 （65）

Chapter6　納税義務者 I
Section 1　納税義務者の原則 ············ 6-2 （70）
Section 2　小規模事業者に係る納税義務の免除 ·· 6-3 （71）

Chapter7　仕入税額控除 I
Section 1　仕入税額控除の概要 ·········· 7-2 （78）
Section 2　課税仕入れ等 ················ 7-4 （80）
Section 3　控除対象仕入税額の計算(基礎) ·· 7-9 （85）
Section 4　課税売上割合 ················ 7-14 （90）
Section 5　個別対応方式 ················ 7-17 （93）

Chapter8　売上げに係る対価の返還等 I
Section 1　売上げに係る対価の返還等 ···· 8-2 （106）

Chapter9　貸倒れに係る消費税額の控除等 I
Section 1　貸倒れに係る消費税額 ········ 9-2 （114）
Section 2　償却債権取立益に係る消費税額 ·· 9-5 （117）

Chapter10　仕入れに係る対価の返還等 I
Section 1　仕入れに係る対価の返還等 ····· 10-2 （124）

Chapter11　簡易課税制度 I
Section 1　簡易課税制度の概要 ·········· 11-2 （134）
Section 2　みなし仕入率 ················ 11-7 （139）
Section 3　2以上の事業を行っている場合のみなし仕入率 11-10 （142）

Chapter12　申告・納付 I
Section 1　確定申告 ···················· 12-2 （154）
Section 2　中間申告 ···················· 12-3 （155）

問題集編

Chapter1　消費税とは I ·············· 1-1 （159）

Chapter2　課税の対象 I ·············· 2-1 （171）

Chapter3　非課税取引 I ·············· 3-1 （181）

Chapter4　免税取引 I ················ 4-1 （189）

Chapter5　課税標準及び税率 I ········ 5-1 （197）

Chapter6　納税義務者 I ·············· 6-1 （211）

Chapter7　仕入税額控除 I ············ 7-1 （217）

Chapter8　売上げに係る対価の返還等 I ·· 8-1 （245）

Chapter9　貸倒れに係る消費税額の控除等 I ·· 9-1 （255）

Chapter10　仕入れに係る対価の返還等 I ·· 10-1 （273）

Chapter11　簡易課税制度 I ·········· 11-1 （287）

合格に必要な知識を効果的に習得するために

本書の構成・特長

【教科書編】

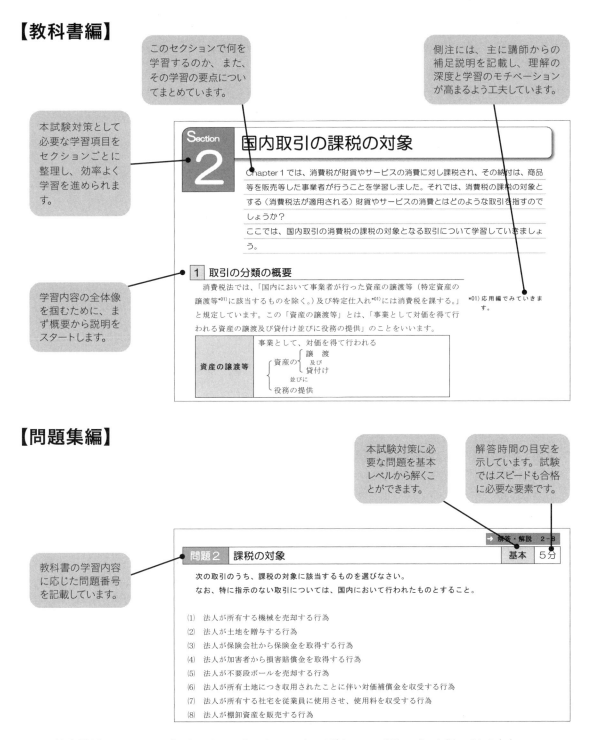

【問題集編】

学習をはじめる前に
著者からのメッセージ

　本書の著者であり、WEB講座の講師でもある山本和史先生から、本書を学習する前の心構えとしてメッセージがございます。本書を最大限に有効活用するためにも、まずはこのメッセージをお読みください。

プロフィール
講師　山本和史（やまもとかずふみ）
講師歴38年。わかりやすい講義をモットーとし、長年の講師歴の中で培った受験生の陥りやすい誤りを未然に防ぐ授業を展開し受験生を合格へと導く。

◆学習アドバイス

　基礎導入編は、これから消費税を学習する方々にとっての入門書となります。この基礎導入編の教材で①消費税が課税される取引、②その消費税を納税する義務を有する者、③その納税者が納付する消費税額の計算の基礎をしっかり学んでください。

　基礎導入編の教材は、前半が「教科書」、後半が「問題集」となっていますので、「教科書」編で学習した内容を「問題集」編で練習し、知識の定着を図ってください。

　税理士試験消費税法の受験対策の書籍は、この「基礎導入編」の教材以外にも「基礎完成編」及び「応用編」があり、これら3種類の教材で受験対策をおこなっていくこととなります。

　基礎導入編の教材は、このあと学習していく「基礎完成編」及び「応用編」の基礎的な内容として冒頭に書きました3つの内容を学習していきます。「基礎完成編」及び「応用編」に進んだ時にスムーズに学習できるようこの基礎導入編の学習を頑張ってください。

　では、具体的に学習方法について説明していきたいと思います。この基礎導入編の教材は消費税法の計算対策を中心とした内容となっていますので、定期的に週3日程度学習する日を設けて学習してください。週3日のうち2日は新しい単元を学習する日、残り1日は今まで学習した内容を復習する日とします。

　新しい単元を学習する日は1時間程度「教科書」編で新しい単元を学習し、その後1時間程度「問題集」編を解答し知識の定着を図ってください。また、復習する日は、その週に新しく学習した単元の「問題集」編を再度解答し学習した内容が自分のものになっているかどうか確認するようにしてください。

　「継続は力なり」と言います。学習を「継続」することは力がいるものですが、学習の「継続」が定着しますと知識の吸収が早まります。頑張って学習を「継続」してください。

"講師がちゃんと教える" だから学びやすい！分かりやすい！
ネットスクールの税理士WEB講座

【開講科目】 簿記論、財務諸表論、法人税法、消費税法、相続税法、国税徴収法

ネットスクールの税理士WEB講座の特長

◆自宅で学べる！ オンライン受講システム

臨場感のある講義をご自宅で受講できます。しかも、生配信の際には、チャットやアンケート機能を使った講師とのコミュニケーションをとりながらの授業となります。もちろん、講義は受講期間内であればお好きな時に何度でも講義を見直すことも可能です。

▲講義画面イメージ▲

★講義はダウンロード可能です★

オンデマンド配信されている講義は、お使いのスマートフォン・タブレット端末にダウンロードして受講することができます。事前にWi-Fi環境のある場所でダウンロードしておけば、通信料や通信速度を気にせず、外出先のスキマ時間の学習も可能です。
※講義をダウンロードできるのはスマートフォン・タブレット端末のみです。
※一度ダウンロードした講義の保存期間は1か月間ですが、受講期間内であれば、再度ダウンロードして頂くことは可能です。

ネットスクール税理士WEB講座の満足度

◆受講生からも高い評価をいただいております

WEB講座 79.5%

- ▶ Zoom面談は、孤独な自宅学習の励みになりましたし、試験直前にお電話をいただいたときは本当に感動しました。（消費／上級コース）
- ▶ 合格できた要因は、質問を24時間受け付けている「学び舎」を積極的に利用したことだと思います。（簿財／上級コース）
- ▶ 質問事項や添削のレスポンスも早く対応して下さり、大変感謝しております。（相続／上級コース）
- ▶ 講義が1コマ30分程度と短かったので、空き時間等を利用して自分のペースで効率よく学習を進めることができました。（国徴／標準コース）

教材 82.3%

- ▶ 理論教材のミニテストと「つながる会計理論」のおかげで、今まで理解が難しかった論点が頭の中でつながった瞬間は感動しました。（財表／標準コース）
- ▶ テキストが読みやすく、側注による補足説明があって理解しやすかったです。（全科目共通）

講師 78.2%

- ▶ 財務諸表論の穂坂先生の理論講義がとてもわかり易く良かったです。（簿財／上級コース）
- ▶ 先生方の学習面はもちろん精神的にもきめ細かいサポートのおかげで試験を乗り越えることができました。（法人／上級コース）
- ▶ 堀川先生の授業はとても面白いです。印象に残るお話をからめて授業を進めて下さるので、記憶に残りやすいです。（国徴／標準コース）
- ▶ 田中先生の熱意に引っ張られて、ここまで努力できました。（法人／標準コース）

※2019～2023年度試験向け税理士WEB講座受講生アンケート結果より

各項目について5段階評価
不満 ← 1 2 3 4 5 → 満足

税理士WEB講座の詳細はホームページへ　**ネットスクール株式会社 税理士WEB講座**

https://www.net-school.co.jp/　　ネットスクール 税理士講座　検索

※税理士講座の最新情報は、ホームページ等をご確認ください。

ネットスクールの書籍シリーズのご案内

税理士試験合格に向けた学習

教科書・問題集　Ⅰ基礎導入編

　基礎導入編は"教科書（テキスト）"と"問題集"の内容を１冊にまとめた構成となっており、『教科書編』ではインプットを、『問題集編』ではアウトプットを繰り返すことにより、効率的に学習を進めることができます。何事も最初が肝心となりますので、まずは本書で消費税法学習の土台を作りあげていきましょう。

教科書／問題集　Ⅱ基礎完成編

　基礎導入編での学習が終わったら、基礎完成編に移ります。基礎導入編と同様に、税理士試験で頻繁に出題される重要論点の基礎的事項を学習していきます。
　基礎完成編も基礎導入編と同様に、教科書でインプットしたことを必ず問題集（教科書と別売りとなります）を使ってアウトプットし、学習した知識を定着させましょう。

理論集

　理論学習に特化したテキストで、効果的で無駄のない理論学習を行えます。
　また、重要理論については音声＆デジタル版のＷダウンロードサービスを付帯し、移動中や外出先でも理論学習を行えるようにしております（別途有料サービス）ので、あわせてご利用ください。

教科書／問題集　Ⅲ応用編

　基礎完成編での学習が終わったら、応用編の学習に移ります。試験対策として重要となる応用的な内容及び特殊論点を学習していくことになりますが、基礎導入編及び基礎完成編で学習した内容を基に学習を進めていただければ、無理なく学習を進めることができますので、復習する際は、基礎導入編及び基礎完成編も併せて復習するようにしましょう。

全経　税法能力検定試験　公式テキスト（3級／2級・1級）

公益社団法人　全国経理教育協会（全経協会）では、経理担当者として身に付けておきたい法人税法・消費税法・相続税法・所得税法の実務能力を測る検定試験が実施されています。試験を受けることで、実務のスキルアップを図れるだけでなく、税理士試験の基礎学力の確認としても有効に活用することができます。税理士試験の学習と並行して、全経　税法能力検定試験の学習を進めることをお勧めします。

※検定試験の詳細は、全経協会公式ホームページをご確認ください。
https://www.zenkei.or.jp/

ラストスパート模試

教科書（テキスト）での学習が一通り終わったら、本試験形式で構成された模擬試験問題を解きましょう。本シリーズでは、ネットスクールの税理士講師の先生が作成した模擬問題を3回分収載しています。

試験問題を本体から取り外し、YouTube で配信している「試験タイマー」を流しながら解くことで、試験本番の臨場感の中で解くことができます。学習してきた力を試験本番で十分に発揮できるよう訓練をしましょう。

試験合格！

ネットスクール公式 YouTube チャンネル

試験勉強や合格後の実務に役立つ動画も随時配信中！

- ☑ 出題予想や本試験の講評・解説
- ☑ 最新の実務の動向を解説する「ネットスクール学びちゃんねる」
- ☑ 試験会場の雰囲気を味わえる試験タイマーなど

アカウントをお持ちの方はぜひチャンネル登録のうえ、ご覧ください。

※掲載している書影は、すべて2024年8月現在の最新版、教科書／問題集シリーズは2024年度版のものとなります。
※書籍のお求めは全国の書店・インターネット書店、またはネットスクール WEB-SHOP をご利用ください。

多数の"合格者の声"が信頼と実績の証です！

ネットスクールWEB講座 合格者の声

ネットスクールで見事！合格を勝ち取った受講生様からのお言葉を紹介いたします。

イトウ　ハルカ様（20代女性／学生）　第72回試験／消費税法合格

私は他の予備校と併用する形で受講させていただいたのですが、画面を通しての講義でも質問などに親身に対応してくれてとても勉強しやすかったです。また、常に前向きな言葉をかけてくださる所にもとても勇気をもらいました。

　勉強方法については、学生で本業の学業も手を抜くことができないため、試験勉強は、毎日何時から何をするかの計画を立てて勉強しました。また、直前期は毎日総合問題を解き、問題解答のフォームやルーティーンを定着させるようにしました。直前期は複数の予備校の直前対策問題を解くようにしましたが、ネットスクールの教材は、特に予想問題が主要論点を抑えつつ初見の問題もあったため何度も活用させていただきました。

　YouTubeの解答速報を拝見し、丁寧な解説と勇気をもらえるような言葉を伝えてくれるネットスクールに興味を持ち、複数の科目を受講しましたが、丁寧な解説、教材、出題予想で本当に助かりました。受講してよかったです。

Y・K様（30代男性／一般会社勤務）　第72回試験／相続税法合格

相続税法の受験は3回目となりますが過去2回不合格となった際には、計算・理論共に基本論点で解答できておりませんでした。そのため、基本論点を見直し、ネットスクールの参考書や問題集を何度も回転させて記憶の定着を図りました。

　また、単なる暗記ではなく理解力も伸ばさなければ本番の試験には対応できないので、制度の概要やなぜその制度が創設されたのかといった背景を理解することも重視しておりました。ネットスクールでは講義が分かりやすく、何度も気になったところは再生できるので納得いかないところは何度も視聴して理解することを心がけておりました。

　最後になりますが、試験直前になるとSNS等で他校の生徒が高得点を取った情報や理論予想などの投稿を目にすることがありますが、そのような情報に惑わされずにまずはネットスクールのカリキュラムをしっかりと消化してその中での問題は確実に解けるようにすることが非常に重要だと思いました。実際に相続税法の理論では、ネットスクールで出題されたところを完璧に理解しておりましたので、他校の理論の出題ランクは低い論点でしたがしっかりと点数を取ることが出来ました。

　これからは法人税法・消費税法の合格を目指して引き続きネットスクールにお世話になろうと考えております。引き続きどうぞよろしくお願いいたします。

M・S様（50代男性／一般会社勤務）第71回試験／国税徴収法・官報合格

以前は独学で市販の理論集や問題集を購入して勉強していましたが、配当額の計算でどうしてこのような計算結果となるのか、いまひとつ理解できないところもあり、本試験でも配当額を間違えて計算してしまったことから、その年度は残念ながら不合格となりました。

その後、国税徴収法のテキストを探していたところ、ネットスクールの通信講座を知り、もう一度勉強しなおそうと思い立ち、受講を決めました。

実際に講義を受けてみると、これまで理解が不完全だった「なぜこうなるのか」がすっきりと理解でき、まさに目からウロコが落ちる、という体験でした。

理論は、試験に直結する重要度が高いものに加え、「これは覚えておくべき」と自分が判断したものを全部暗記し、2〜3日間で一回転するやり方で精度の向上に努めました。ただ単に暗記するだけではなく、横のつながりを意識することが大切だと思いましたので、どことつながっているのかもいっしょに覚えるようにしました。

答練は、通信講座のなかの問題と過去問で練習を繰り返しました。「ラストスパート模試」は過去8年分と模擬試験4回分が収録されていましたので、これだけでも練習量としては充分だったと思います。答案の書き方自体もあまりよく知らず、以前は隙間なくビッシリと書いていましたので、適度にスペースを空ける書き方を教えてもらったことも受講してよかった、と思いました。

おかげさまで国税徴収法に合格することができました。ありがとうございました。

S・K様（40代男性）第72回試験／法人税法・官報合格 ※

一の度、ようやく官報合格となりました。これまでにお世話になった先生方、本当に本当にありがとうございました。私は他校の受講経験がなく比較することはできませんが、一番ありがたかったのは「学び舎」です。理解力不足や勘違いで何度もくだらない質問をしましたが、すぐに丁寧に詳しく解説を頂けたことが合格に結び付いたと確信しています。

受験勉強で私が一番苦労したのは、何と言っても勉強時間の確保です。仕事との両立はやはり厳しく、平日夜はほぼ時間がとれないため、毎朝3時に起床し朝に勉強するというスタイルで、1日約3〜4時間は勉強に充てていました。主な1日のスケジュールは、朝は計算メインの勉強、通勤時間は車の中で、自分が吹き込んだオリジナル理論音声を聞きながらブツブツ念仏を唱え、昼休みは理論集の暗記、ベッドに入って寝るまでの時間も理論集の暗記といった内容でした。

私の理論暗記法は、短期間で繰り返し理論集を何回転もさせるやり方です。最初は重要語句を暗記ペンでマーカーし、覚えたら次の理論という感じでどんどん進めていき、少しずつ暗記ペンでマーカーした部分を増やしていきます。30〜40回転目になると、ほとんどマーカーした状態になり、その頃からは、理論集を見ずに暗唱し、つまれば理論集を見て確認するというやり方に徐々にシフトしていきます。この方法は職場の先輩から教えてもらったもので、前回受験した国税徴収法と今回受験した法人税法はこの方法でほぼ全部暗記しました。直前期は数日で1回転できるようになり、最終的には60回転くらいさせたと思います。理論暗記に悩んでいる人にはお勧めです。

税理士試験はかなり長い年数を勉強に費やすことになり、それに比例して犠牲にしなければならないことも多いと思います。私も何度も諦めそうになりました。しかし、なんとか踏みとどまり、ネットスクールを信じて諦めずに継続したことで、5科目合格することができました。

税理士WEB講座の詳細はホームページへ　**ネットスクール株式会社 税理士WEB講座**

https://www.net-school.co.jp/　［ネットスクール 税理士講座］ 検索

税理士試験とは
試験概要

【試験科目】

税理士試験は、会計科目2科目・税法科目9科目の全11科目あります。このうち、会計科目2科目と税法科目3科目（選択必須科目1科目以上を含む）の合計5科目に合格する必要があります。1度の受験で5科目全てに合格する必要はなく、1科目ずつ受験することもできます。なお、1度合格した科目は生涯有効となります。

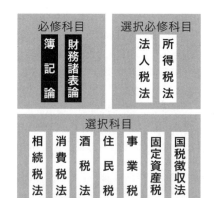

【試験日】

通常、8月第1又は第2週の火曜日〜木曜日に実施されます。

【合格点・合格発表】

合格基準点は各科目とも満点の60パーセントです。合格発表は12月中旬になります。
その他、税理士試験の詳細については、国税庁ホームページをご覧下さい。

https://www.nta.go.jp/index.htm
国税庁ホームページ ＞ 税の情報・手続・用紙 ＞ 税理士に関する情報 ＞ 税理士試験

本書シリーズ
法令等の改正情報の公開について

本書税理士シリーズについて、法令等の改正や会計基準等の変更があった場合には、改正・変更に関する情報を公開いたします。

https://www.net-school.co.jp/
読者の方へ ＞ 税理士試験/科目 ＞ 改正情報

凡例（略式名称……正式名称）

消……消費税法　　令……消費税法施行令　　規……消費税法施行規則
基通……消費税法基本通達
別表第一、第二、第三……消費税法別表第一、第二、第三
所法……所得税法　　所令……所得税法施行令　　法法……法人税法
法令……法人税法施行令　　国通法……国税通則法
措法……租税特別措置法
措令……租税特別措置法施行令

引用例
　法7①三　…　消費税法第7条第1項第3号
　基通10-1-19　…　消費税法基本通達10-1-19

（注）本書は、令和6年（2024年）4月1日現在施行されている法令等に基づき作成しています。

Chapter 1

消費税とは I

Section 1 消費税法の概要

皆さんがこれから学習していく消費税法という法律はどのような法律なのでしょうか？
ここでは、法律の内容に触れていく前に、学習の範囲や法律の構成など具体的な知識を見ていきましょう。

1 消費税の法律関係

税理士試験における「消費税法」の出題範囲は、**消費税法とその他の関連する法律**となっています。これらの関連する法律と消費税法の関係を図示すると以下のようになります。

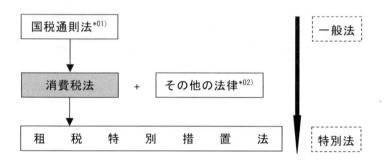

*01) 国税に関する一般的な事項を定めたものであり、申告や納付の期限・計算の端数処理の方法など内容は多岐にわたります。

*02) その他の法律には、①関税法 ②関税定率法 ③輸入品に対する内国消費税の徴収等に関する法律（輸徴法）などがあります。

特別法は一般法に優先して適用されます。例えば、上で示した法律では租税特別措置法＞消費税法＞国税通則法という順番となります。
この中で主に消費税法が税理士試験で出題されます。

2 税法の構成
1. 税法の構成

税法の構成は、**消費税法**で大綱を定め、**施行令**や**施行規則**で技術的な事項、様式的な事項をそれぞれ規定しています。**基本通達**は、法律や施行令、施行規則の解釈や運用方針などを示しています。

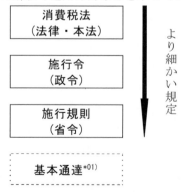

*01) 基本通達は本法や施行令、施行規則と異なり、課税庁側の見解であるため、一般的に拘束力はないといえます。

2．消費税法の法律構成

消費税法は第 1 条～第67条まであり、以下のように定められています。

章建	条文	
第 1 章　総則 （第 1 条～第27条）	① 定義 ② 課税の対象 ③ 納税義務者及び免税事業者 ④ 納税義務の成立 ⑤ 課税期間 ⑥ 納税地	なにを？ ／ だれが？ ／ いつ？ ／ どこへ？
第 2 章　課税標準及び税率 （第28条・第29条）	① 課税標準 ② 税率	どれだけ？
第 3 章　税額控除等 （第30条～第41条）	① 消費税額の控除	
第 4 章　申告、納付、還付等 （第42条～第56条）	① 中間申告 ② 確定申告 ③ 還付を受けるための申告 ④ 引取りに係る申告 ⑤ 中間申告による納付 ⑥ 確定申告による納付 ⑦ 引取りに係る納付 ⑧ 還付 ⑨ 更正の請求	どうする？
第 5 章　雑則 （第57条～第63条）	① 届出 ② 帳簿の備え付け等 ③ 国、地方公共団体等に対する特例 ④ 価格の表示	そのためには？
第 6 章　罰則 （第64条～第67条）	① 消費税のほ脱犯 ② 無申告犯 ③ 秩序法	しなかったら？
【附則】	① 経過措置 ② 消費税法施行に伴う他法の一部改正	
【別表第一】	軽減税率対象資産の取引（国内取引）	
【別表第一の二】	軽減税率対象資産の取引（輸入取引）	
【別表第二】	非課税項目（国内取引）	
【別表第二の二】	非課税項目（輸入取引）	
【別表第三】	特殊法人等	

　　一般的に税法とは、税の納付に関する国と納税者との間の法律関係を示した文章です。法律構成というと難しく聞こえますが、消費税法とは、消費税の納付に関して「**なにを**」「**だれが**」「**いつ**」「**どこへ**」「**どれだけ**」「**どうする**」といった内容が具体的に示された文章と捉えていきましょう。

Section 2 消費税の性格

消費税が課税対象とする「消費」とは一体何でしょうか？
一般的に消費とは、人が欲求を満たすため財貨やサービスを利用することをいいます。消費税はこの消費という行為に着目し、大人から子供まで「平等に」、消費するためのお金の一部分を税金として負担してもらうことを目的とした税金です。
ここでは他の税法とは異なる消費税の特徴を見ていきましょう。

1 個別消費税と一般消費税

消費税とは、財貨やサービスの消費を課税対象とした税金一般を指す言葉であり、特定の財貨やサービスの消費に対して課税する酒税やたばこ税も消費税に含まれます。これらの特定の消費に対する消費税を「**個別消費税**」といいます。これに対し、消費税法が対象としている消費税は、原則として国内におけるすべての商品の販売やサービスの提供に対して広く薄く課税するため、**一般消費税**と呼ばれています。

ここでいう消費には、国内で消費することを目的とした輸入取引も含まれます[01]。

*01) 輸入取引についてはChapter 2で詳しく見ていきます。

2 消費税の税率の内訳

消費税の税率は10%ですが、その10%相当の税額のすべてが国に納付される訳ではありません。

10%のうち7.8%が国税であり、2.2%が地方税です[01][02]。

2.2%の地方税部分は、国税の確定税額に$\frac{22}{78}$[03]を乗じて計算されます。

受験上は、国税の7.8%に基づいて計算します[04]。

*01) 国が課す税金を国税、都道府県などの地方公共団体が課す税金を地方税といいます。

*02) 税法上は、7.8%の国税を「消費税」、2.2%の地方税を「地方消費税」といいます。

*03) 22/78となっていますが、意味としては2.2%/7.8%です。国税7.8%部分の税額を7.8%で割り戻すことにより、本体価格相当額の金額を算出し、それに地方消費税の税率2.2%を改めて掛けることにより、地方消費税部分の税額を算出しています。

*04) 以後、この教科書では、消費税率を7.8%として説明していきます。

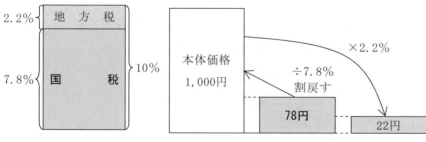

> 参考

令和元年10月1日以降の税率

	国　税	地方税	合　計
標準税率	7.8%	2.2%	10%
軽減税率	6.24%	1.76%	8%

（注）この教科書では軽減税率は取り上げません。軽減税率は基礎完成編で取り上げます。

3 直接税と間接税

　実際に税金を負担する者（担税者）とその税金を納める者（法律上の納税義務者）が同一である税金を「**直接税**」、担税者と法律上の納税義務者が異なる税金を「**間接税**」といいます。

　消費税は、担税者が直接税金を納付する「法人税」や「所得税」とは異なり、担税者と法律上の納税義務者が一致していないため、間接税に分類されます。

　したがって、消費税の納税義務者は、商品の販売等をした際に消費者から税金を預かる「**事業者**」です。消費税法は、この納税義務者たる事業者が、消費者から預かった税金を、国に納付するための方法等を定めた法律なのです。

＜直接税＞

＜間接税＞

4 消費税の納付方法

　税額計算を誰が行うかにより税金を分類した場合、次の2つの方式に分けられます。

・申告納税方式

　　申告納税方式とは、納税義務者が自ら税額を計算し、自らが申告して納める方法をいいます。

・賦課課税方式

　　賦課課税方式とは、税金を課す国や地方公共団体が税額を計算し、その計算された税額を納税義務者が納める方法をいいます。

　消費税法は、**国内取引**については**申告納税方式**を採用し、**輸入取引**については**申告納税方式と賦課課税方式の両方**を採用しています。

5 国内取引と輸入取引

取引を区分すると、①国内取引、②輸出取引、③輸入取引、④国外取引に分けられます。消費税法においては、①国内取引と②輸出取引をまとめたものを広い意味での国内取引と捉え、この広い意味での国内取引と③輸入取引を課税の対象としています。

国内取引と国外取引の判別は「**場所**」で判定します。例えば、資産の譲渡は、その資産の譲渡が行われた時にその資産が所在している場所、サービス等の役務の提供は、役務の提供が行われた場所が、それぞれ国内ならば国内取引になります。

輸出を行うためには、国内の税関で輸出許可を受ける必要があります。
輸出許可を受ける時には、その資産は当然国内にあります。ここから、輸出取引も国内取引として扱います。

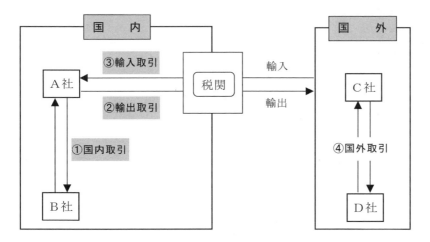

6 消費税法で学習する用語の意味

用語の意味は、理論を暗記する際も必要なので正確に押さえましょう。

事業者	個人事業者[01]と法人があります。
課税期間	課税期間とは、納付すべき消費税額の計算の基礎となる期間をいいます。 個人事業者は、1月1日から12月31日 法人は、その法人の定める事業年度[02]になります。
売上げ	会計における売上げは、商品を売った場合を主に指しますが、消費税における売上げは、入金全般や資産等の流出全般を指します。
仕入れ	会計における仕入れは、商品を買った場合を主に指しますが、消費税における仕入れは、出金全般や資産等の譲受け全般を指します。
課税売上げ	売上げのうち消費税が課されるものをいいます。
課税仕入れ	仕入れのうち消費税が課されるものをいいます[03]。

[01] 事業を行う個人をいいます。

[02] 3月決算の法人なら、4月1日から翌年3月31日です。

[03] 厳密には、事業者が、事業として他の者から資産を譲り受け、若しくは借り受け、又は役務の提供（所得税法に規定する給与等を対価とする役務の提供を除く。）を受けることをいいます。詳しくは、Chapter 7で見ていきます。

Section 3 消費税の仕組み

消費税の納税義務者である事業者は、商品の販売等を行う際、その売上げに対し7.8%の税金を預かります。

ここで問題となるのが、商品の購入等をした人はすべて「消費者」なのか、という点です。

事業者が商品の購入等をした場合、事業者は「消費」をするためでなく「販売等」のために購入していますから、「消費」はしていません。

消費税はあくまでも消費を行う消費者が負担する税金であるため、このような販売等のための、消費を伴わない購入等に対し税金の負担が発生することを避けるため、以下のような仕組みを採用しています。

1 前段階控除方式

商品が私たちの手許に届くまでには、様々な流通過程を経ます。

例えば、本は、『出版社→書店→消費者』という流通過程です。消費税は、消費者に手渡される時のみならず出版社や書店にも購入の際に課されるため、取引を行うたびに税金が累積されることを避ける必要があります。そのために、前段階の税を排除していく**前段階控除方式**の仕組みが採用されています。

この仕組みを採用すると、消費税は最終的には消費者が負担することになります。

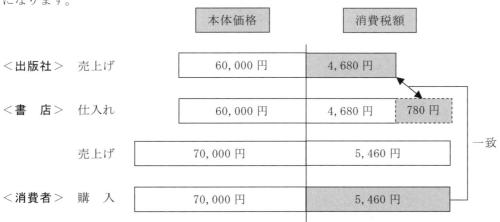

	出版社	書店	消費者
預かった税金（売上げ分の消費税）	4,680円	5,460円	—
支払った税金（仕入れ分の消費税）	—	4,680円	5,460円
納付税額	4,680円 ＋	780円	＝5,460円

出版社と書店の納付税額の合計額5,460円（出版社4,680円＋書店780円）が消費者の支払税額と一致しており、消費者のみが最終的に税金を負担していることがわかります。

Section 4 納付税額の計算方法

Section 2 で学習したように、最終的に消費税を負担するのは消費者ですが、実際に納付するのは事業者です。事業者は、「預かった消費税」から「支払った消費税」を差し引いた額を納付税額として納めます。

ここでは、消費税の納付税額を求める具体的な方法を学習していきましょう。

1 納付税額の計算の流れ

先ほどの書店を例に考えると、書店は、売り上げた際の消費税5,460円を預かっており、仕入れた際の消費税4,680円を支払っています。

したがって、納付税額780円（5,460円－4,680円）[*01]を国税として納めます。

*01) 便宜上、百円未満切捨の端数処理はしていません。

また、地方税は、国税の納付税額に $\frac{22}{78}$ を乗じて算定しますので、地方税は220円（780円 × $\frac{22}{78}$ ）[*01]となります。

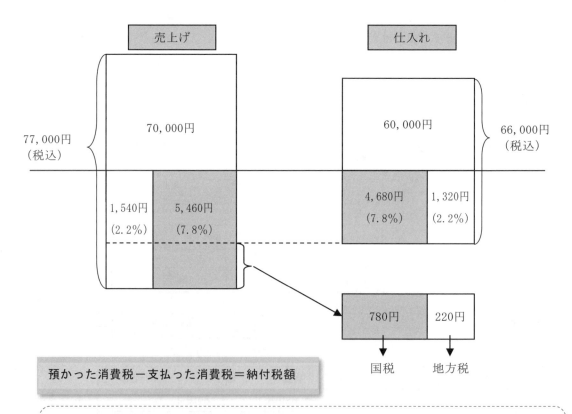

預かった消費税－支払った消費税＝納付税額

〈税込経理方式と税抜経理方式〉

消費税の会計処理については、取引の対価の額と消費税額等を区分しないで経理する「税込経理方式」と、区分する「税抜経理方式」があります。

これから学習する消費税の計算に関しては、税込経理方式を前提とした計算方法になっています。

2 納付税額の計算方法

納付税額の計算は、以下のような手順で計算します[*01]。

(1) **預かった消費税**（＝課税標準額に対する消費税額）

① 課税標準額

$$77,000円^{*02)} \times \frac{100}{110} = 70,000円（千円未満切捨）$$

② 課税標準額に対する消費税額

$$70,000円 \times 7.8\% = 5,460円$$

(2) **支払った消費税**（＝控除対象仕入税額）

$$66,000円^{*03)} \times \frac{7.8}{110} = 4,680円^{*04)}$$

(3) **納付税額**

① 差引税額 (1)－(2)

$$5,460円 - 4,680円 = 780円 \rightarrow 700円（百円未満切捨）$$

〈差引税額が**マイナス**となった場合〉

差引税額がマイナスとなったときは、支払った消費税が還付金として戻ってくるため「**控除不足還付税額**」と呼び方が変わります。

なお、マイナスの場合は、百円未満の切捨ては行いません。

(例) 課税標準額に対する消費税額 3,520円
控除対象仕入税額 5,800円 （切捨てない）
控除不足還付税額 2,280円 （プラスで表示）

② **納付税額**（差引税額から中間納付税額を差し引きます）

$$700円 - 0円 = 700円$$

中間納付税額[*05]

〈納付税額が**マイナス**となった場合〉

差引税額から「中間納付税額」を引いた結果マイナスとなったときは中間納付により支払済みの消費税が還付されるため「**中間納付還付税額**」と呼び方が変わります。

(例) 差引税額 2,800円
中間納付税額 5,100円
中間納付還付税額 2,300円 （プラスで表示）

---

*01) 前ページの図の金額を使った計算例です。最終的に納付税額が700円（780円と算出されますが、百円未満切捨の端数処理をします。）となることを確認しましょう。

*02) 預かった消費税の計算では、一課税期間の課税売上げの合計金額（税込）から、計算式を使って求めていきます。前ページの例では、書店の売上げである77,000円（税込）が課税売上げとなります。

*03) 支払った消費税の計算では、一課税期間の課税仕入れの合計金額（税込）から、計算式を使って求めていきます。前ページの例では、書店の仕入れである66,000円（税込）が課税仕入れとなります。

*04) ここで円未満の端数が生じた場合には、切捨てます。

*05) 納付する税額が多額の場合、納付する税金の一部を前払いすることがあります。これを中間納付税額といいます。詳しくは、Chapter12で見ていきます。

Chapter 1｜消費税とは I ｜ **1-9**

| 設例4-1 | 納付税額の計算 |

次の【資料】に基づいて、課税標準額に対する消費税額、控除対象仕入税額、差引税額、納付税額を計算しなさい。

【資料】

(1) 課税売上高（税込）　162,355,410円

(2) 課税仕入高（税込）　113,648,641円

(3) 中間納付税額　　　　920,000円

解答

課税標準額に対する消費税額	11,512,410円
控除対象仕入税額	8,058,721円
差引税額	3,453,600円
納付税額	2,533,600円

解説（単位：円）

(1) 課税標準額に対する消費税額

① 課税標準額

$162,355,410 \times \dfrac{100}{110} = 147,595,827 \rightarrow 147,595,000$（千円未満切捨）

② 課税標準額に対する消費税額

$147,595,000 \times 7.8\% = 11,512,410$

(2) 控除対象仕入税額

$113,648,641 \times \dfrac{7.8}{110} = 8,058,721$

(3) 納付税額

① 差引税額

$11,512,410 - 8,058,721 = 3,453,689 \rightarrow 3,453,600$（百円未満切捨）

② 納付税額

$3,453,600 - 920,000 = 2,533,600$

| Try it | 納付税額の計算 |

株式会社甲社は、小売業を営んでいる法人であり、甲社の令和7年4月1日から令和8年3月31日までの課税期間に関連する取引の状況は、次のとおりである。

これに基づき、当課税期間における確定申告により納付すべき消費税額をその計算過程を示して計算しなさい。

【資料】

1　課税売上高（税込）　　85,000,000円

2　課税仕入高（税込）　　45,000,000円

3　中間納付税額　　　　　　400,000円

解答欄

Ⅰ　課税標準額に対する消費税額の計算

〔課税標準額〕

計　算　過　程	（単位：円）
	金額	円

〔課税標準額に対する消費税額〕

計　算　過　程　（単位：円）	金額	円

Ⅱ　仕入れに係る消費税額の計算等

〔控除対象仕入税額〕

計　算　過　程	（単位：円）
	金額	円

Ⅲ　納付税額の計算

〔納付税額〕

計　算　過　程	（単位：円）
	金額	円

Chapter 1 | 消費税とは I | *1-11*

解 答

I 課税標準額に対する消費税額の計算

〔課税標準額〕

計 算 過 程	（単位：円）
$85,000,000 \times \dfrac{100}{110} = 77,272,727 \ \rightarrow \ 77,272,000$（千円未満切捨）	

金額	円 77,272,000

〔課税標準額に対する消費税額〕

計 算 過 程　（単位：円）	金額	円
$77,272,000 \times 7.8\% = 6,027,216$		6,027,216

II 仕入れに係る消費税額の計算等

〔控除対象仕入税額〕

計 算 過 程	（単位：円）
$45,000,000 \times \dfrac{7.8}{110} = 3,190,909$	

金額	円 3,190,909

III 納付税額の計算

〔納付税額〕

計 算 過 程	（単位：円）
(1) 差引税額 　　$6,027,216 - 3,190,909 = 2,836,307 \ \rightarrow \ 2,836,300$（百円未満切捨） (2) 納付税額 　　$2,836,300 - 400,000 = 2,436,300$	

金額	円 2,436,300

解 説

1 課税標準額の計算

　千円未満切捨を忘れないようにしましょう。なお、「千円未満切捨」は、答案用紙に明記します。

2 控除対象仕入税額の計算

　$\dfrac{7.8}{110}$ を乗じて計算します。このとき円未満の端数は切捨てます。

3 納付税額

　差引税額と納付税額の2段階で計算することを押さえましょう。

　また、差引税額で百円未満切捨を忘れないようにしましょう。なお、「百円未満切捨」は、答案用紙に明記します。

Chapter 2

課税の対象Ⅰ

Section 1 課税の対象の概要

消費税はすべての取引に課される税金ではありません。消費税法では「こういう取引には消費税を課します。」という要件が明らかにされており、その要件を満たせば消費税法が適用されることとなります。

取引がどのように分類され、そのうち、どの取引に消費税が課されるのか、その概要を確認していきましょう。

1 取引の分類の概要

消費税法における課税の対象は、国内において事業者が行った**資産の譲渡等**、特定仕入れ及び保税地域から引き取られる**外国貨物**です[*01]。

さらに、消費税法が適用される取引は、次の手順に従って分類していきます。

*01）各項目の具体的な内容の詳細は後で学習します。ここでは、概要を押さえることに重点を置いて下さい。なお、特定仕入れについては、応用編で見ていきます。

	（第1段階）	（第2段階）	（第3段階）
国内取引	課税の対象となる取引 （資産の譲渡等）	課税取引 （課税資産の譲渡等）	課税取引 （7.8%）
	課税対象外取引 （不課税取引）	非課税取引	輸出免税取引 （0%）
輸入取引	課税取引 （課税貨物の引取り）		
	非課税取引 （非課税貨物）		

消費税法〈課税の対象〉

第4条① 国内において事業者が行った資産の譲渡等（特定資産の譲渡等に該当するものを除く。）及び特定仕入れには、この法律により、消費税を課する。

② 保税地域から引き取られる外国貨物には、この法律により、消費税を課する。

消費税法〈資産の譲渡等〉

第2条①八 事業として対価を得て行われる資産の譲渡及び貸付け並びに役務の提供（代物弁済による資産の譲渡その他対価を得て行われる資産の譲渡若しくは貸付け又は役務の提供に類する行為として政令で定めるものを含む。）をいう。

Section 2 国内取引の課税の対象

Chapter 1 では、消費税が財貨やサービスの消費に対し課税され、その納付は、商品等を販売等した事業者が行うことを学習しました。それでは、消費税の課税の対象とする（消費税法が適用される）財貨やサービスの消費とはどのような取引を指すのでしょうか？

ここでは、国内取引の消費税の課税の対象となる取引について学習していきましょう。

1 取引の分類の概要

消費税法では、「国内において事業者が行った資産の譲渡等（特定資産の譲渡等[*01)]に該当するものを除く。）及び特定仕入れ[*01)]には消費税を課する。」と規定しています。この「資産の譲渡等」とは、「事業として対価を得て行われる資産の譲渡及び貸付け並びに役務の提供」のことをいいます。

*01) 応用編で見ていきます。

資産の譲渡等	事業として、対価を得て行われる 資産の { 譲渡 及び 貸付け } 並びに 役務の提供

消費税法〈課税の対象〉

第4条①　国内において事業者が行った資産の譲渡等（特定資産の譲渡等に該当するものを除く。）及び特定仕入れには、この法律により、消費税を課する。

消費税法〈資産の譲渡等〉

第2条①八　事業として対価を得て行われる資産の譲渡及び貸付け並びに役務の提供（代物弁済による資産の譲渡その他対価を得て行われる資産の譲渡若しくは貸付け又は役務の提供に類する行為として政令で定めるものを含む。）をいう。

具体的には、以下の**4要件をすべて満たす取引**が国内取引の課税の対象となります。

(1)　国内において行うものであること

(2)　事業者が事業として行うものであること

(3)　対価を得て行われるものであること

(4)　資産の譲渡及び貸付け並びに役務の提供であること[*02)]

*02)「資産の譲渡等」に資産の貸付けや役務（サービス）の提供も含まれる点に注意しましょう。

Chapter 2｜課税の対象Ⅰ｜*2-3*　（27）

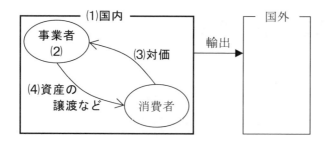

2 国内において行われるもの

　消費税は国内で行われた資産の譲渡等に対して税金の負担を求めています。したがって、課税の対象と判断するためには、まず、資産の譲渡等が**国内で行われたか否かを判断する必要があります**。

　具体的には、資産の譲渡又は貸付け、役務の提供ごとに判定を行います。

1．資産の譲渡又は貸付けの場合（法4③一、令6①）

　資産の譲渡又は貸付けは、その**譲渡又は貸付けが行われる時**においてその**資産が所在していた場所**が国内であるか否かに基づき判定を行います。

　ただし、特許権などの権利については所在する場所の判断基準が特殊であるため、それぞれ個別の判定基準で判断します。

(1) 原　則

原　則	その譲渡又は貸付けが行われる時においてその資産が所在していた場所

(2) 例　外*01)

資産の種類	場　所
特許権、実用新案権、意匠権、商標権等	権利の登録をした機関の所在地（同一の権利について二以上の国において登録をしている場合には、これらの権利の譲渡又は貸付けを行う者の住所地*02)）
有価証券（ゴルフ場利用株式等を除く。）	その有価証券が所在していた場所
ゴルフ場利用株式等	ゴルフ場その他の施設の所在地
所在場所が明らかでない場合	その資産の譲渡又は貸付けを行う者のその譲渡又は貸付けに係る事務所等の所在地

〈利子を対価とする金銭の貸付け〉（令6③）
　利子を対価とする金銭の貸付けは、その貸付けを行う者のその貸付けに係る事務所等の所在地が国内にあるかどうかにより判定します*03)。

*01) 例外はいろいろありますが、まずは、代表的なものから見ていきます。

*02) 住所地とは、個人事業者の場合には、生活の本拠地を指し、法人の場合には本店所在地を指します。ここでいう生活の本拠地とは、一般的には住民票の登録地といわれますが、必ずしも一致しているとは限りません。

*03) 例えば海外の金融機関が日本に所在する支店において貸付けを行った場合には、国内取引に該当しますが、反対に日本の金融機関であっても海外の支店で貸付けを行った場合には国内取引には該当せず、課税の対象とはなりません。

2．役務の提供の場合（法4③二、令6②）

　役務の提供の場合は、**その役務の提供が行われた場所が国内であるか否かに基づき判定を行います。**

　ただし、その役務の提供が国際運輸、国際通信その他国内と国外にわたって行われるものである場合、その他の政令で定めるものである場合はそれぞれ個別の判定基準で判断します。

(1)　原　則

原　則	その役務の提供が行われた場所

(2)　例　外*04)

役務提供の種類	場　　　所
国際運輸	その旅客又は貨物の**出発地**若しくは**発送地**又は**到着地**
国際通信	発信地又は受信地
国際郵便	差出地又は配達地

*04) 例外はいろいろありますが、まずは、代表的なものから見ていきます。

設例2－1　　　　　　　　　　　　　　　　　　国内において行うもの

次の取引のうち、国内取引に該当するものを選びなさい。

［資産の譲渡又は貸付け］

(1)　内国法人がイタリアにある車を売却する行為

(2)　外国法人が東京にある建物を貸し付ける行為

(3)　内国法人がアメリカで登録した特許権をアメリカの法人に売却する行為

(4)　内国法人が外国法人から国内の事務所で締結した貸付金の利息を受け取る行為

(5)　外国法人がゴルフ場利用株式（日本にゴルフ場が所在）を内国法人に売却する行為

［役務の提供］

(1)　内国法人がアメリカから日本へ貨物を輸送する行為

(2)　外国法人が東京からワシントンへの国際電話料金を受領する行為

解答　［資産の譲渡又は貸付け］

　　　　(2)、(4)、(5)

　　　　［役務の提供］

　　　　(1)、(2)

解説

［資産の譲渡又は貸付け］

(1)　国外にある資産の譲渡であるため国外取引に該当します。

(2)　外国法人による取引であっても、国内にある資産の貸付けであるため国内取引に該当します。

Chapter 2 | 課税の対象Ⅰ | *2-5*　　（29）

(3) アメリカで登録した特許権の譲渡であるため国外取引に該当します。

(4) 利子を対価とする金銭の貸付けが国内取引に該当するかの判定は、その貸付けを行う者の貸付けに係る事務所等の所在地により行います。貸付けに係る事務所等が国内にあるため国内取引に該当します。

(5) ゴルフ場利用株式については、ゴルフ場の所在地で判定を行うため、国内取引に該当します。

［役務の提供］

(1) 国際運輸が国内取引に該当するか否かの判定は、その貨物の出発地、発送地又は到着地のいずれかにより行います。ここでは貨物の到着地が国内であるため国内取引に該当します。

(2) 国際通信が国内取引に該当するか否かの判定は、その通信の発信地又は受信地のいずれかにより行います。ここでは通信の発信地が国内であるため国内取引に該当します。

3 事業者が事業として行うもの

消費税法では、**法人**が行う資産の譲渡及び貸付け並びに役務の提供は、そのすべてが、「**事業として**」に**該当**します。一方、**個人事業者**が生活の用に供している資産を譲渡する場合のその譲渡は、「**事業として**」には**該当しません**（基通5－1－1）*01)。

*01) 例えば、個人事業者が家庭で利用しているパソコンを売却した場合などは該当しません。

```
法    人 ── すべての取引 ─┐
                          ├─「事業として」に該当する
個人事業者 ┬ 対価を得て行われる資産
          │ の譲渡等が反復、継続、
          │ 独立して行われる ────┘
          └ 上 記 以 外 ───「事業として」に該当しない
```

設例2－2　　　　　　　　　　　　　　　　　　　　事業者が事業として行うもの

次の取引のうち、事業者が事業として行う取引に該当するものを選びなさい。

(1) 法人が有価証券を売却する行為
(2) 法人が土地を贈与する行為
(3) 個人事業者が家庭用車両を売却する行為
(4) 個人事業者が製造した製品を売却する行為

解答　　(1)、(2)、(4)

解説

(1)(2) 法人が行う資産の譲渡及び貸付け並びに役務の提供は、そのすべてが「事業として」に該当します。したがって、(1)(2)がともに事業者が事業として行う取引に該当します。

(3)(4) 個人事業者が行う資産の譲渡及び貸付け並びに役務の提供のうち、反復・継続・独立して行われるものは「事業として」に該当します。しかし、生活の用に供している資産を譲渡する場合の譲渡は、「事業として」には該当しません。したがって、(4)は事業者が事業として行う取引に該当しますが、(3)はこれに該当しません。

4 対価を得て行われるものであること

1．原 則（基通5－1－2）

　対価を得て行われる資産の譲渡等とは、**資産の譲渡等に対して反対給付を受けること**をいいます。すなわち、事業者が行った資産の譲渡等に関し、何らかの「**見返り**」がある場合には、対価を得て行われた取引となります。

　ここでいう対価とは、金銭に限らないため、資産の交換等も対価性のある取引に該当します。なお、**無償による取引は、資産の譲渡等に該当しません**。

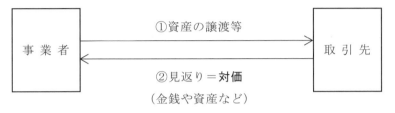

2．特殊なケースの対価性の判定

　資産の譲渡等が対価を得て行われた取引に該当するか否かの判定は、具体的には以下のようになります。

(1) 損害賠償金（基通5－2－5）

対価性なし（不課税）	損害賠償金のうち、心身又は資産につき加えられた損害の発生に伴い受けるもの

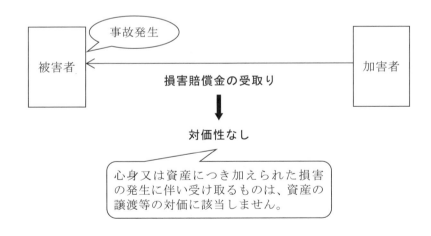

(2) 剰余金の配当等（基通5－2－8）

| 対価性なし
（不課税） | 剰余金の配当若しくは利益の配当又は剰余金の分配*01) |

*01) 株主又は出資者たる地位に基づき、出資に対する配当又は分配として受けるものであるから、対価性がある取引には該当しません。

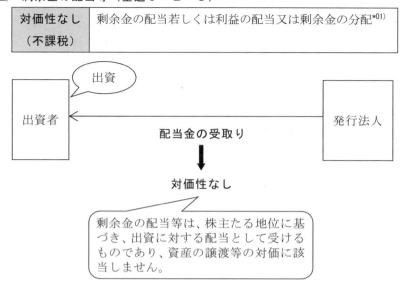

(3) 対価補償金等（基通5－2－10）

対価補償金とは、収用*02)が行われた際に、収用された土地や建物の売却に係る対価として受け取る補償金です。

| 対価性あり
（課税の対象） | 対価補償金（譲渡があったものとみなされる収用の目的となった所有権その他の権利の対価たる補償金） |
| 対価性なし
（不課税） | 収益補償金*03)、経費補償金*04)、移転補償金等*05) |

*02) 収用とは、土地収用法に基づき、公共の利益となる事業の用に供するため、土地などの所有権を、権利者の意思にかかわらず、国又は地方公共団体等に強制的に取得させることをいいます。

(4) 資産の廃棄、盗難、滅失（基通5－2－13）

| 対価性なし
（不課税） | 棚卸資産又は棚卸資産以外の資産で事業の用に供していた若しくは供すべき資産について廃棄をし、又は盗難若しくは滅失があった場合 |

*03) 収益補償金とは収益又は生ずることとなる損失の補てんとして交付を受ける補償金です。

(5) 寄附金、祝金、見舞金等（基通5－2－14）

| 対価性なし
（不課税） | 寄附金、祝金、見舞金等 |

*04) 経費補償金とは休廃業等により生ずる事業上の費用の補てん又は収用等による譲渡の目的となった資産以外の資産について実現した損失の補てんとして交付を受ける補償金です。

(6) 補助金、奨励金、助成金等（基通5－2－15）

| 対価性なし
（不課税） | 特定の政策目的の実現を図るための給付金 |

*05) 移転補償金とは資産の移転に要する費用の補てんとして交付を受ける補償金です。

(7) 借家保証金、権利金等（基通5－4－3）

| 対価性あり
（課税の対象） | 一定の事由の発生により返還しないもの*06) |
| 対価性なし
（不課税） | 賃貸借契約の終了等に伴って返還するもの |

*06) 賃料の一部と捉えます。

⑻ 福利厚生施設の利用（基通5－4－4）

対価性あり （課税の対象）	事業者が、その有する宿舎、宿泊所、集会所、体育館、食堂その他の施設を、対価を得て役員又は使用人等に利用させる行為

⑼ 資産の無償貸付け（基通5－4－5）

対価性なし （不課税）	個人事業者又は法人が、資産の貸付けを行った場合において、その資産の貸付けに係る対価を収受しないこととしているとき

⑽ 解約手数料、払戻手数料等（基通5－5－2）

対価性あり （課税の対象）	解約手数料、取消手数料又は払戻手数料等を対価とする役務の提供等
対価性なし （不課税）	予約の取消し、変更等に伴って予約を受けていた事業者が収受するキャンセル料、解約損害金[07]

[07] 逸失利益等に対する損害賠償金であり、不課税取引となる損害賠償金等と同様に対価性はありません。

⑾ 会費、組合費等（基通5－5－3）

会費、組合費等については、その組合等が構成員に対して行う役務の提供等との間に明白な対価関係があるかどうかで判定します。

対価性なし （不課税）	同業者団体、組合等がその団体としての通常の業務運営のために経常的に要する費用をその構成員に分担させ、その団体の存立を図るというようないわゆる通常会費
対価性あり （課税の対象）	名目が会費等とされている場合であっても、役務の提供等との間に明白な対価関係がある場合 例えば、それが実質的に出版物の購読料や施設の利用料等と認められる場合等

＜対価性なし＞

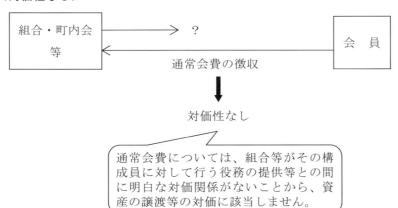

通常会費については、組合等がその構成員に対して行う役務の提供等との間に明白な対価関係がないことから、資産の譲渡等の対価に該当しません。

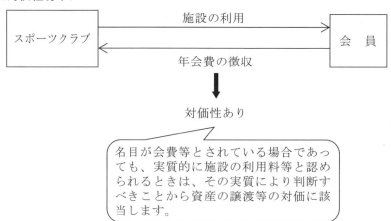

(12) 入会金（基通5－5－4、5－5－5）

対価性あり （課税の対象）	会員に対する役務の提供を目的とする事業者[*08]が会員等の資格を付与することと引換えに収受する入会金で返還しないもの
対価性なし （不課税）	・同業者団体、組合等がその構成員から収受する入会金 ・役務の提供を目的とする事業者が会員等の資格を付与することと引換えに収受する入会金で返還するもの

[*08] ゴルフクラブ、宿泊施設その他レジャー施設が該当します。

設例2－3　課税の対象

次の取引のうち、課税の対象となるものを選びなさい。

(1) 内国法人が国外の得意先に国内において商品を販売する行為
(2) 内国法人が国内の得意先に無償で建物を貸し付ける行為
(3) 内国法人が国外にある土地を役員に売却する行為
(4) 内国法人が銀行から利息を収受する行為
(5) 内国法人が保険金を収受する行為
(6) 内国法人が従業員に商品を販売する行為
(7) 内国法人が株式配当金を収受する行為

解答　(1)、(4)、(6)

解説
(1) 事業者が事業として、対価を得て行った資産の譲渡であり、国内取引であるため、課税の対象となります。
(2) 無償貸付であるため対価を得ていない取引です。したがって、課税の対象となりません。

(3) 国外取引であるため、課税の対象となりません。

(4) (1)と同様に、課税の対象となります。

(5) 保険金の収受は資産の譲渡等の対価として受け取るものではありません。したがって、課税の対象となりません。

(6) (1)と同様に、課税の対象となります。

(7) 配当金の収受は資産の譲渡等の対価として受け取るものではありません。したがって、課税の対象となりません。

5 資産の譲渡及び貸付け並びに役務の提供

1. 意 義

(1) 資産の意義（基通5-1-3）

資産とは、取引の対象となる一切の資産をいいます。具体的には、棚卸資産又は固定資産のような有形資産のほか、権利その他の無形資産が含まれます。

(2) 資産の譲渡の意義（基通5-2-1）

資産の譲渡とは、資産につきその同一性を保持しつつ、他人に移転させることをいいます。なお、資産の交換は、資産の譲渡に該当します。

(3) 資産の貸付けの意義（法2②）

資産の貸付けには、資産に係る権利の設定その他、他の者に資産を使用させる一切の行為を含みます[*01]。

(4) 役務の提供の意義（基通5-5-1）

役務の提供とは、労務、便益その他のサービスを提供することをいい、専門的知識、技能等に基づく役務の提供もこれに含まれます[*02]。

2. 資産の譲渡等に類する行為[*03]（令2①）

資産の譲渡等には、対価性のない取引（贈与等）は含まれませんが、反対に一見すると対価性のない取引であっても何らかの反対給付があると認められる取引については、資産の譲渡等に含まれることとしています。

*01) 資産に係る権利の設定とは、例えば、土地に係る地上権若しくは地役権、特許権等の工業所有権に係る実施権若しくは使用権又は著作物に係る出版権の設定等をいいます。

*02) 役務の提供とは、例えば、土木工事、修繕、運送、保管、印刷、広告、仲介、興行、宿泊、飲食、技術援助、情報の提供、便益、出演、著述その他のサービスを提供することが該当します。また、弁護士、公認会計士、税理士、作家、スポーツ選手、映画監督、棋士等によるその専門的知識、技能等に基づく役務の提供もこれに含まれます。

*03) 基礎完成編で見ていきます。

Chapter 2 | 課税の対象 I | 2-11 (35)

Section 3 輸入取引の課税の対象

これまで、国内取引の課税の対象を学習してきましたが、ここでは消費税の、もう一つの課税の対象である輸入取引について学習しましょう。

1 輸入取引の課税の対象の概要

海外から輸入された外国貨物は国内の保税地域から引き取られる際に消費税が課されます。

これは海外から輸入された外国貨物が、国内で消費又は使用されるので、**消費地課税主義**[*01]の見地から課税されるためです。

なお、輸入取引は、国内取引とは異なり、事業者だけではなく、個人（消費者）が輸入した場合も納税義務者となります[*02]。

区 分	納税義務者	
国内取引	課税資産の譲渡等を行う事業者	事業者
輸入取引	課税貨物を保税地域から引き取る者	事業者、個人（消費者）

> **消費税法〈課税の対象〉**
> 第4条② 保税地域から引き取られる外国貨物には、この法律により、消費税を課する。

> [*01] 消費地課税主義とは、消費される財貨や役務につき、その消費される場所に基づき税負担を求める考え方です。
>
> [*02] 納税義務者に関してはChapter 6で詳しく見ていきます。

2 輸入取引の課税の対象の内容

1. 意 義

(1) **外国貨物**

外国貨物とは、関税法の規定により**輸出を許可された貨物**、及び**輸入が許可される前の貨物**のことです[*01]。

(2) **保税地域**

保税地域とは、外国から輸入及び輸出する貨物を蔵置し、又は加工、製造、展示等をすることができる特定の場所です[*02]。

(3) **課税貨物**

課税貨物とは、保税地域から引き取られる外国貨物のうち、非課税貨物以外の貨物をいいます。

> [*01] 詳しくはChapter 4で見ていきます。
>
> [*02] 保税地域には、具体的には指定保税地域、保税蔵置場、保税工場、保税展示場及び総合保税地域の5種があります。

```
┌─────────────┐
│             │
│  課 税 貨 物  │
│             │ ┐
├─────────────┤ ├ 外国貨物
│             │ ┘
│  非課税貨物   │
│             │
└─────────────┘
```

(36) 2-12

2. 外国貨物と内国貨物の区分

外国貨物と内国貨物は以下のように区分されます。

外国貨物	・輸出の許可を受けた貨物 ・外国から到着した貨物で輸入が許可される前のもの
内国貨物	・輸出の許可を受けていない貨物 ・外国から到着した貨物で輸入が許可されたもの

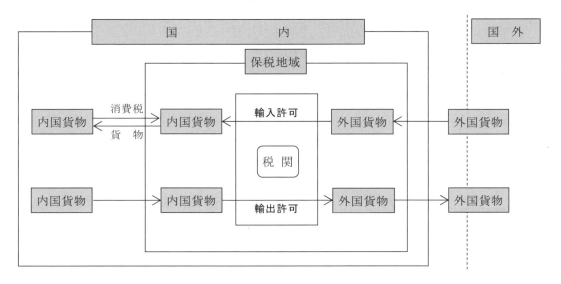

Try it　　　　　　　　　　　　　　　　　　　　　　　　国内取引の判定と課税の対象

以下の各設問に答えなさい。

(1) 次の取引のうち、国内取引に該当するものを選びなさい。
　① 外国法人が日本にある土地を外国法人に販売した。
　② 内国法人の海外支店が所有するオーストラリアにある不動産を内国法人に譲渡した。
　③ 内国法人が外国法人に対し特許権（日本とアメリカで登録）を譲渡した。
　④ 日本人大工がアメリカで家を建てた。
　⑤ 内国法人がアメリカの得意先に国際電話した。

(2) 次の取引のうち、課税の対象に該当するものを選びなさい。
　① 法人が所有する株式に係る配当金を受け取った場合
　② 法人が自動車事故により損害賠償金を受け取った場合
　③ 法人が所有するマンションを従業員に居住させ、家賃を受け取った場合
　④ 法人が、日本人にゴルフ場利用株式（アメリカにゴルフ場が所在）を譲渡した場合
　⑤ 法人が神社に土地を贈与した場合

解 答

(1)　①、③、⑤

(2)　③

解 説

(1)　国内取引の判定

①　国内にある資産の譲渡であるため、国内取引に該当します。

②　国外にある資産の譲渡であるため、国外取引に該当します。

③　特許権に関する国内取引の判定は、権利の登録をした機関の所在地により行います。なお、二以上の国において登録をしている場合には、これらの譲渡又は貸付けを行う者の住所地で判定します。

④　日本人大工が行った建築は、役務の提供が行われた場所が国外であるため国外取引に該当します。

⑤　国際通信が国内取引に該当するかの判定は、その通信の発信地又は受信地のいずれかにより行います。本問では通信の発信地が国内であるため、国内取引に該当します。

(2)　課税の対象の判定

①　配当金は、株主たる地位に基づき、出資に対する配当として受けるものであるから、課税の対象とはなりません。

②　損害賠償金は、原則として、対価性がないものとして、課税の対象とはなりません。

③　事業者が事業として、国内において、対価を得て行った資産の譲渡、貸付け、又は役務の提供であるため、課税の対象となります。

④　ゴルフ場利用株式の譲渡の国内取引の判定は、ゴルフ場の所在地で判定するため、本問は国外取引となり、課税の対象とはなりません。

⑤　贈与している（無償取引）ため、課税の対象とはなりません。

Chapter 3

非課税取引Ⅰ

Section 1 非課税取引の概要

Chapter 2 では、消費税の課税の対象となる取引の判定方法について学習してきましたが、ここまでの判定で課税の対象に含まれるとした取引の中にも、特定の理由から意図的に消費税を課さないこととされている非課税取引があります。
このChapterでは非課税取引を見ていきましょう。

1 非課税取引とは

非課税取引とは、課税の対象となる取引のうち消費するという行為に対して負担を求めるという性格上、**課税することになじまない取引**や、社会政策上、課税することが不適当なため、**政策的に消費税を課さないこととした取引**のことです[*01]。

この非課税取引は、資産の譲渡等を伴う国内取引及び外国貨物の引取りによる輸入取引について規定されています。

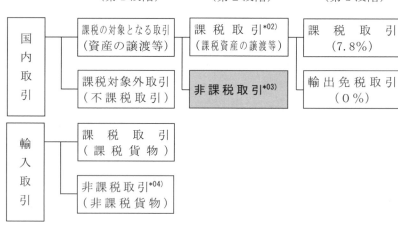

*01)「何が非課税取引になるのか」という点についてはあとで学習します。ここでは、全体像の位置づけを見ることに重点を置いて下さい。

*02) 消費税法では、資産の譲渡等のうち、ここで列挙される国内取引の非課税取引に該当しない取引を広義の課税取引とし、この広義の課税取引を「課税資産の譲渡等」といいます。

*03) 非課税取引は、課税の対象に含まれる取引であるため、該当する取引がすべて国内取引の資産の譲渡等の要件を満たすことに注意しましょう。

*04) 基礎完成編で見ていきます。

なお、課税の対象となる取引のうち、非課税取引に該当しない取引を「**課税資産の譲渡等**」といいます。

> **消費税法〈非課税〉**
> 第6条① 国内において行われる資産の譲渡等のうち、別表第二に掲げるものには、消費税を課さない。
> ② 保税地域から引き取られる外国貨物のうち、別表第二の二に掲げるものには、消費税を課さない。
>
> **消費税法〈課税資産の譲渡等〉**
> 法2条① 九 資産の譲渡等のうち、第6条第1項の規定により消費税を課さないこととされるもの以外のものをいう。

Section 2 国内取引の非課税

非課税取引とは、本来は課税の対象の4要件を満たす取引であるにもかかわらず、その性質上及び政策的見地から消費税を課さないこととされている取引のため、消費税法で特に定められたものだけが該当します。

ここでは、具体的にその定められた取引を確認していきましょう。

1 国内取引の非課税の概要

資産の譲渡等を伴う国内取引から生じる非課税取引は、別表第二に掲げられている13の取引です。なお、その取引は、課税をすることになじまないもの、及び社会政策上課税することが不適当なものに分類されます。

> **消費税法〈非課税〉**
> 第6条① 国内において行われる資産の譲渡等のうち、別表第二に掲げるものには、消費税を課さない。

1. 課税の対象とすることになじまない取引

① 土地の譲渡及び貸付け

② 有価証券等の譲渡

③ 利子を対価とする金銭の貸付け、保険料を対価とする役務の提供等

④ 郵便切手類、印紙、証紙及び物品切手等の譲渡

⑤ 行政手数料等及び外国為替業務に係る役務の提供

2. 政策的に配慮した取引

⑥ 社会保険医療等

⑦ 介護保険法による居宅サービス等及び社会福祉事業等

⑧ 助産に係る資産の譲渡等

⑨ 埋葬料、火葬料を対価とする役務の提供

⑩ 身体障害者用物品に係る資産の譲渡等

⑪ 学校等の教育として行う役務の提供

⑫ 教科用図書の譲渡

⑬ 住宅の貸付け

2 土地の譲渡及び貸付け

土地の譲渡及び貸付けに関しては、原則として非課税となります[*01]。

ただし、土地の貸付けに係る期間が1ヵ月に満たない場合及び駐車場その他の施設の利用に伴って土地が使用される場合は非課税に該当しません。

[*01] 土地は消費する資産（使用することにより枯渇する資産）ではないため非課税とされています。
また、土地の貸付けは比較的長期間に及ぶため、土地の譲渡と同様に非課税とされています。

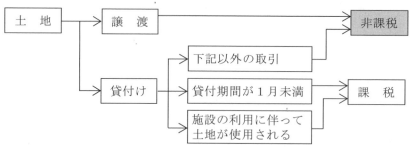

また、土地の譲渡及び貸付け等については以下のような取扱いがあります。

1．土地等の譲渡又は貸付けに係る仲介手数料（基通6－1－6）

土地等の譲渡又は貸付けに係る**仲介料を対価とする役務の提供**は課税資産の譲渡等に該当します。

課税取引	土地等の譲渡又は貸付けに係る仲介料を対価とする役務の提供

2．土地付建物等の貸付け（基通6－1－5）

施設の利用に伴って土地が使用される場合のその土地を使用させる行為は**土地の貸付けから除かれます**。

例えば、建物、野球場、プール又はテニスコート等の施設の利用が土地の使用を伴っても、その土地の使用は、土地の貸付けに含まれません。

したがって、建物の貸付け等に係る対価と土地の貸付けに係る対価に区分しているときであっても、その**対価の額の合計額がその建物の貸付け等に係る対価の額**となります。

非課税取引	建物の貸付け等に係る対価と土地の貸付けに係る対価とに区分されている場合の土地付建物の貸付けで、かつ、その建物が住宅である場合[*02]
課税取引	建物の貸付け等に係る対価と土地の貸付けに係る対価とに区分されている場合の土地付建物の貸付けで、かつ、その建物が住宅でない場合[*02]

[*02] 住宅については後半で見ていきます。

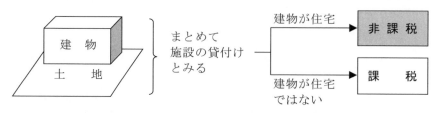

〈駐車場の貸付け〉

(1) 事業者が駐車場又は駐輪場として土地を利用させた場合、その土地につき駐車場又は駐輪場としての用途に応じる地面の整備又はフェンス、区画、建物の設置等をしていないときは、その土地の使用は、土地の貸付けに含まれます。

区　分	特　　長	取扱い
更地の貸付け	―	非　課　税
駐車場施設の貸付け	地面の整備、又はフェンス、区画、建物の設置等	課　　税

(2) 土地の所有者が駐車場の経営者に駐車場用地として使用する土地を貸し付ける場合において、駐車場としての用途に応じる地面の整備又はフェンス、区画、建物の設置等をしていないときは、駐車場の貸付けではなく土地の貸付けに該当するため、非課税取引となります。

設例2－1　　　　　　　　　　　　　　　　　　　　　　　土地の譲渡及び貸付け

　次の取引のうち、非課税取引に該当するものを選びなさい。なお、与えられた取引は国内取引の要件を満たしている。

(1) 法人が土地を貸し付ける行為
(2) 法人が土地を譲渡する行為
(3) 法人が駐車場用地を貸し付ける行為
(4) 法人が所有する駐車場施設の貸付けを行う行為
(5) 法人が、他社の土地の造成を行う行為

解答　(1)、(2)、(3)

解説

(1) 土地の貸付けは、原則として非課税取引となります。
(2) 土地の譲渡は、非課税取引となります。
(3)(4) ここでの貸付けは、(4)は、駐車場施設の貸付けであるため、土地の貸付けからは除かれ、課税取引とされ、(3)の駐車場用地の貸付けは、土地の貸付けを意味し、非課税取引とされます。
(5) 土地の造成という役務の提供は、課税資産の譲渡等に該当し、課税取引とされます。

Chapter 3 | 非課税取引Ⅰ | 3-5　　（43）

③ 有価証券等の譲渡

有価証券及び有価証券に類するものの譲渡に関しては非課税となります[01]。

また、支払手段[02]及び支払手段に類するものの譲渡についても非課税となります。

なお、ゴルフ場その他の施設の利用に関する権利に係るもの（ゴルフ場利用株式、預託の形態によるゴルフ会員権）の譲渡及び収集品及び販売用の支払手段の譲渡については非課税となりません[03]。

[01] 有価証券の譲渡は資本の移転であり、消費するという行為ではないため非課税とされています。

[02] 支払手段とは、現金や小切手、約束手形等のことです。

[03] 収集品及び販売用の支払手段とは、記念硬貨や古銭のことをいいます。

＜有価証券の譲渡＞

区　分	取扱い
下記以外	非　課　税
ゴルフ場利用株式等	課　　税

＜支払手段の譲渡＞

区　分	取扱い
下記以外	非　課　税
収集品及び販売用	課　　税

1．非課税となる有価証券等の範囲（基通６－２－１）

非課税となる有価証券等の範囲は、主に以下のものがあります。

金融商品取引法で規定されている有価証券
①　国債証券、地方債証券、社債券
②　株券又は新株予約権証券
③　投資信託、貸付信託等の受益証券
④　コマーシャルペーパー
⑤　抵当証券

上記の有価証券に類するもの
①　証券が発行されていない有価証券
②　合名会社、合資会社又は合同会社の社員の持分
③　貸付金、預金、売掛金その他の金銭債権

2．有価証券に含まれないもの（基通6－2－2）

消費税法上、非課税とならない有価証券は、主に以下のものがあります。

有価証券に含まれないもの
①　船荷証券[04]、倉荷証券、複合運送証券
②　ゴルフ場利用株式、預託の形態によるゴルフ会員権

[04] 船荷証券は、引き換えを受ける貨物証憑としての性質を持つため、船荷証券の譲渡は有価証券の譲渡ではなく、引き換えを受ける貨物そのものの譲渡として捉えられ、有価証券の範囲には含まれません。

設例2－2　　　　　　　　　　　　　　　　　　　　　　　有価証券等の譲渡

次の取引のうち、非課税取引に該当するものを選びなさい。なお、与えられた取引は国内取引の要件を満たしている。

⑴　法人がゴルフ会員権を譲渡する行為

⑵　法人が得意先に対して有する貸付金を譲渡する行為

⑶　法人が株券を譲渡する行為

解答　⑵、⑶

解説

⑴　ゴルフ会員権は、有価証券から除かれるため、その譲渡は課税取引となります。

⑵　貸付金は有価証券に類するものであるため、その譲渡は非課税取引となります。

⑶　株券は有価証券に該当するため、その譲渡は非課税取引となります。

Chapter 3｜非課税取引Ⅰ｜**3-7**　　（45）

4 利子を対価とする金銭の貸付け、保険料を対価とする役務の提供等

利子を対価とする金銭の貸付けや保険料を対価とする役務の提供等に関しては非課税となります（基通6-3-1～6-3-3、6-3-5）[*01]。

具体的には、以下のとおりです。

利子を対価とする金銭の貸付け

① 国債、地方債、社債、新株予約権付社債・貸付金、預金の利子

② 集団投資信託等の収益の分配金

③ 割引債（利付債を含む）の償還差益[*02]

④ 抵当証券の利息

⑤ 手形の割引料

⑥ 前渡金等の利子

保険料を対価とする役務の提供[*03]

① 保険料（事務費用部分を除く）[*04]

② 共済掛金

その他

① 有価証券の賃貸料（ゴルフ場利用株式等を除く）

② 割賦販売等に準ずる方法により資産の譲渡等を行う場合の利子又は保証料相当額（その額が契約において明示されている部分に限る）

③ リース料のうち、利子又は保険料相当額（契約において利子又は保険料の額として明示されている部分に限る）

〈取引分類における貸付金の元本と利息の取扱い〉

貸付金（金銭の貸付け）は「お金」という「資産」を貸し付ける行為そのものを指し、利息は「お金」という「資産」を貸し付けたことによる「対価」です。

例えば、10万円を貸して利息が500円付いたとします。これは、「10万円（1万円札10枚という資産）を500円（をもらって）で貸してあげた」と考えます。そのため、「DVD1枚レンタル料500円」というのと同じ関係です。

消費税の課税の対象はあくまでも「消費税法上の売上げは何か？」を見ているのですから、「（お金が動いた結果）収益が計上されるのか？」が分類を行う上で重要なのです。

---

*01) 資金の貸付けは金融取引であり、物又はサービスを消費しているわけではないため非課税とされます。
また、保険は預金と同様に資金運用であるため非課税とされます。

*02) 割引債とは利息の付かない債券をいい、利付債とは利息の付く債券をいいます。
割引債は利息が付かない分、額面金額よりも低い価額で発行するため、償還金額（額面金額）と発行価額との差額（償還差益）が実質的な利息となります。

*03) 保険会社が保険代理店に支払う代理店手数料は非課税取引には該当しません。

*04) 「保険金」の受取りは対価性がないため、不課税取引です。Chapter 2を参照してください。

設例2−3　　　　　　　　利子を対価とする金銭の貸付け、保険料を対価とする役務の提供等

　次の取引のうち、非課税取引に該当するものを選びなさい。なお、与えられた取引は国内取引の要件を満たしている。

⑴　法人が証券投資信託の収益の分配金を受け取る行為

⑵　法人が保険契約者から生命保険料を受け取る行為（事務費用部分を除く）

解答　　⑴、⑵

解説

⑴　証券投資信託は集団投資信託等に該当し、その収益の分配金を受け取る行為は、利子を対価とする資産の貸付けに該当するため、非課税取引となります。

⑵　生命保険料を受け取る行為は、保険料を対価とする役務の提供に該当するため、非課税取引となります。

5　郵便切手類、印紙、証紙及び物品切手等の譲渡

　日本郵便株式会社等が行う**郵便切手類**及び印紙の譲渡、地方公共団体等が行う**証紙**[*01]の譲渡、及び**物品切手等**[*02]の譲渡に関しては非課税となります（基通6−4−1〜6−4−6）。[*03]

　具体的には、以下のとおりです。

1．郵便切手類、印紙及び証紙の譲渡

譲渡する者	取扱い
・日本郵便株式会社 ・郵便切手類販売所 ・印紙売りさばき所 ・地方公共団体 ・売りさばき人	非課税
上記以外のもの （金券ショップ等）	課　税

2．物品切手等の譲渡

非課税取引	・商品券 ・ビール券 ・プリペイドカード ・映画鑑賞券

*01）証紙とは、金銭の払込みを証明するものであり、地方自治体が発行するものです。

*02）物品切手等とは、物品の給付請求権を表彰する証書のことです。

*03）消費税は、物品の販売や役務の提供に対して課税するものです。郵便切手類等の譲渡はその前提として行われるため非課税となります。

Chapter 3 | 非課税取引Ⅰ | *3-9*　　（47）

6 行政手数料等及び外国為替業務に係る役務の提供

行政手数料等及び外国為替業務に係る役務の提供に関しては非課税となります（基通6－5－1～6－5－3）。

具体的には、以下のとおりです。

1．行政事務[*01]等に係る役務の提供（行政手数料等）

| 非課税取引 | 国、地方公共団体等が法令に基づき行う登記、登録、特許、免許、許可に関する手数料等 |

*01) 行政事務に関する行政手数料は、税金によって負担すべき性格のものであるため非課税となります。

2．外国為替業務に係る役務の提供

| 非課税取引 | ・外国為替取引
・対外支払手段の売買又は債権の売買（両替業務） |

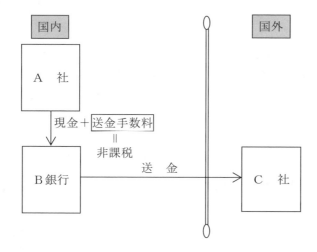

7 社会保険医療等

社会保険医療に関する物品の提供や役務の提供に関しては非課税となります（基通6－6－1～6－6－3）[*01]。

具体的には、以下のとおりです。

| 非課税取引 | 保険診療報酬（健康保険法、国民健康保険法等の規定に基づく療養の給付及び入院時食事療養費等）[*02] |
| 課税取引 | ・自由診療報酬（予防接種、人間ドック、健康診断等）
・製薬会社等が医療機関等に販売する医薬品等[*03] |

*01) 医療行為に関しては、健康の維持に不可欠なものであり、かつ医療行為を必要とする弱者の救済の観点から非課税とされます。

*02) 保険診療に係る患者の窓口負担分も含めて非課税売上げとなります。

*03) 薬局が医師の処方せんに基づき患者に投薬する場合には、薬局が医療行為の一環として投薬することになるため、その医療行為が健康保険法等の療養の給付に該当する場合には、薬局が行う処方せんに基づく投薬は非課税となります。

8 介護保険法による居宅サービス等及び社会福祉事業等

介護保険法による**居宅サービス等**及び**社会福祉事業等**に関しては非課税となります（基通6－7－1～6－7－10）[01]。

具体的には、以下のとおりです。

非課税取引	・介護保険法の規定に基づく特定のサービス（居宅介護サービス費の支給に係る居宅サービス、施設介護サービス費の支給に係る施設サービス等） ・社会福祉事業等として行われる資産の譲渡等
課税取引	・福祉用具の譲渡又は貸付け（身体障害者用物品の譲渡等に該当する場合を除く）

*01) 介護保険法による各種サービスについては、公的医療サービスに準じるものであるため非課税となります。

9 助産に係る資産の譲渡等

医師、助産師その他医療に関する施設の開設者による**助産に係る資産の譲渡等**に関しては非課税となります（基通6－8－1～6－8－3）。

具体的には、以下のとおりです[01]。

非課税取引	検査、入院、新生児に係る検診及び入院等で医師、助産師その他医療に関する施設の開設者が行うもの。 なお、妊娠中の入院及び出産後の入院における差額ベッド料及び特別給食費並びに大学病院等の初診料についても全額が非課税となります。

*01) 助産に関しては、社会保険医療等に準じて非課税となります。

10 埋葬料、火葬料を対価とする役務の提供

埋葬料、火葬料を対価とする役務の提供は非課税となります（基通6－9－1、6－9－2）。

具体的には、以下のとおりです。

非課税取引	・埋葬料、火葬料[01] ・埋葬許可手数料[02]
課税取引	その他の葬儀諸費用（葬儀費用、花輪代金等）

なお、お布施や戒名料等は、宗教活動に伴う実質的な喜捨金となるため、課税の対象には含まれず不課税となります。

*01)「墓地、埋葬等に関する法律」により義務付けられている埋葬又は火葬のための費用のみが非課税となり、法律による義務のないその他の葬儀費用に関しては課税取引となります。

*02) 行政手数料に該当し、非課税となります。

Chapter 3 | 非課税取引 I | **3-11** （49）

11 身体障害者用物品に係る資産の譲渡等

身体障害者用物品[*01]の譲渡、貸付け又は一定の修理に関しては、非課税となります（基通6−10−1～6−10−4）。

*01) 身体障害者の使用に供するための特殊な性状、構造又は機能を有する物品をいいます。
なお、身体障害者用物品の一部を構成する部分品については、身体障害者用物品には該当しません。

12 学校等の教育として行う役務の提供

学校教育法に基づく、**授業料、入学金、入園料、施設設備費**などの教育に関する役務の提供に関しては非課税となります（基通6−11−1～6−11−6）。

13 教科用図書の譲渡

学校教育法に規定する**教科用図書（検定済教科書等）**の**譲渡**に関しては非課税となります（基通6−12−1～6−12−3）。

14 住宅の貸付け

1．住宅の貸付け[*01]の範囲

住宅（人の居住の用に供する家屋又は家屋のうち人の居住の用に供する部分）の**貸付け**に関しては非課税となります。

ただし、住宅の貸付けに係る**期間が1ヵ月に満たない場合**及び旅館業に係る**施設**[*02]の貸付けに該当する場合は非課税とはなりません。

なお、住宅（建物）の譲渡は、課税取引となります。

*01) 住宅の貸付けは、人の生活の中心である住宅という観点から、賃借人の保護のため非課税としています。

*02) 旅館業法に規定するホテル、貸別荘、リゾートマンション等が該当します。

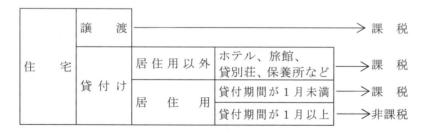

〈賃借人が転貸する場合〉（基通6−13−7）

会社（賃借人）が社宅や独身寮等を目的に住宅として転貸する場合は住宅の貸付けに該当し、いずれの立場においても非課税となります[*03]。

*03) 住宅の貸付けに該当するか否かの判定は、賃貸借契約書に記載されている用途が居住用か否かによって行うため、契約に係る当事者が法人の場合や、実態が居住の用に供していない場合においても契約上居住目的であることが明記されていれば非課税取引に該当します。

〈その他の事項〉

(1) **家賃の範囲（基通6－13－9）**

　家賃には、月決め等の家賃のほか、敷金、保証金、一時金等のうち返還しない部分や共同住宅における共用部分に係る費用を入居者が応分に負担するいわゆる共益費も含まれます。

(2) **用途変更の場合の取扱い（基通6－13－8）**

　貸付けに係る契約において住宅として貸し付けられた建物について、契約当事者間で住宅以外の用途に変更することについて契約変更した場合には、契約変更後の当該建物の貸付けは、課税資産の譲渡等に該当することになります。

設例2－4　　　　　　　　　　　　　　　　　　　　　　　　　　　　　その他

　次の取引のうち、非課税取引となるものを選びなさい。なお、与えられた取引は国内取引の要件を満たしている。

(1) チケット業者が行う商品券を譲渡する行為

(2) チケット業者が行う郵便切手を譲渡する行為

(3) 日本郵便株式会社の営業所（郵便局）が行う郵便切手を譲渡する行為

(4) 法人が身体障害者用物品を販売する行為

(5) 法人が社宅を有償で貸し付ける行為

解答　(1)、(3)、(4)、(5)

解説

(1) 商品券の譲渡は、譲渡する者に関係なく、非課税取引となります。

(2)(3) 日本郵便株式会社が行う郵便切手を譲渡する行為は、非課税取引となります。なお、金券ショップといった日本郵便株式会社以外の者が譲渡した場合は、課税取引となります。

(4) 身体障害者用物品を譲渡する行為は非課税取引となります。なお、身体障害者用物品の部分品の譲渡は課税取引になります。

(5) 社宅の貸付けは、原則として非課税取引です。

Chapter 3｜非課税取引Ⅰ｜**3-13**　（51）

Try it	非課税取引

事業者が行った、次の国内における資産の譲渡等のうち、消費税が非課税となるものを答えなさい。

(1)　土地の譲渡

(2)　土地の譲渡に係る仲介手数料の受取り

(3)　上場株式の譲渡

(4)　ゴルフ場利用株式の譲渡

(5)　健康診断料の受取り

(6)　チケットショップにおける郵便切手の販売

(7)　チケットショップにおける図書カードの販売

解 答

(1)、(3)、(7)

解 説

(2)　土地の譲渡及び貸付けは非課税取引となるが、土地に係る役務の提供は課税取引となる。

(4)　ゴルフ場利用株式は非課税とされる有価証券の範囲から除かれ、ゴルフ場利用株式の譲渡は課税取引となる。

(5)　健康診断料の受取りは課税取引となる。

(6)　郵便切手の販売で非課税取引となるものは日本郵便株式会社又は郵便切手類販売所において販売されているもののみとなる。

Chapter 4

免税取引Ⅰ

Section 1 免税取引の概要

消費税法では、国外で消費されるものについては、たとえ課税資産の譲渡等に該当する取引であっても消費税の負担が免除される取引があります。それが、免税取引です。どのような取引が、免税取引に該当するのか、なぜ免税規定が設けられているのかを確認していきましょう。

1 免税取引とは

　免税取引[*01]とは、**消費地課税主義の原則**及び**国際競争力の低下防止**のために、課税取引でありながらも国外で消費されるものについては消費税を免除することとした取引のことです。

*01) 0％課税取引ともいいます。

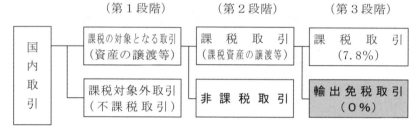

> **消費税法〈輸出免税等〉**
> 第7条① 事業者（免税事業者を除く。）が国内において行う課税資産の譲渡等のうち、次に掲げるものに該当するものについては、消費税を免除する。
> 　一　本邦からの輸出として行われる資産の譲渡又は貸付け
> 　二　外国貨物の譲渡又は貸付け
> 　三　国内及び国内以外の地域にわたって行われる旅客若しくは貨物の輸送又は通信
> 　四　専ら前号に規定する輸送の用に供される船舶又は航空機の譲渡若しくは貸付け又は修理で政令で定めるもの
> 　五　前各号に掲げる資産の譲渡等に類するものとして政令で定めるもの
> ② 前項の規定は、その課税資産の譲渡等が同項各号に掲げる資産の譲渡等に該当するものであることにつき、財務省令で定めるところにより証明がされたものでない場合には、適用しない。

Section 2 輸出取引等に係る免税

Section1で学習した免税となる輸出取引には、様々な要件があります。また、該当する取引も多岐にわたるため、正確な判定方法をマスターしましょう。

1 輸出取引等に係る免税の概要

1. 輸出免税の要件（法7①、基通7−1−1）

事業者が国内において行う課税資産の譲渡等のうち、**輸出取引等に該当する取引**については、消費税が免除されます。

国内取引である課税資産の譲渡等が輸出取引等として免税とされるには、以下の要件を満たす必要があります。

輸出免税の要件
① その資産の譲渡等は、**課税事業者**[*01] **によって行われる**ものであること
② その資産の譲渡等は、**国内において**行われるものであること
③ その資産の譲渡等は、**課税資産の譲渡等に該当**するものであること
④ その資産の譲渡等は、**輸出取引等に該当**するものであること
⑤ その資産の譲渡等は、輸出取引等であることにつき**証明がなされた**ものであること

*01) 納税義務が免除されていない事業者をいいます。詳しくはChapter 6で見ていきます。

2. 輸出取引等の範囲（法7①、令17②、基通7−2−1）

国内において行う課税資産の譲渡等のうち免税となる輸出取引等は、以下に掲げられているものなどです。

輸出取引等の範囲
① 本邦からの輸出として行われる資産の譲渡又は貸付け
② 国際運輸、国際通信、国際郵便又は信書便
③ 非居住者に対する無形固定資産等の譲渡又は貸付け
④ 非居住者に対する役務の提供で国内において直接便益を享受するもの以外のもの

Chapter 4 | 免税取引 I | **4-3** （55）

2 本邦からの輸出として行われる資産の譲渡又は貸付け

本邦からの輸出として行われる資産の譲渡又は貸付け[*01]は、**一般的な輸出取引**です。すなわち、国内にある資産を外国に向かう船舶等に積み込み外国に送り出すことです。なお、輸出免税の適用を受けられるのは、**自ら輸出を行う取引に限られます**[*02]。

*01) 役務の提供は含まれていない点に注意しましょう。

*02) 例えば、輸出する物品の製造のための下請加工等は、自ら輸出を行っていないため、輸出免税の適用はありません。

3 国際輸送、国際通信、国際郵便又は信書便

国際輸送[*01]、**国際通信**[*02]、**国際郵便**[*03]又は**信書便**[*04]は、免税となる輸出取引等になります。

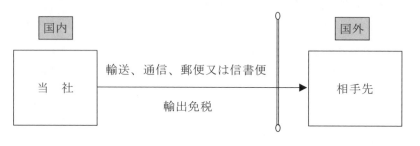

*01) 国際輸送には、旅客輸送や貨物の輸送があります。

*02) 国際通信は、国際電話をイメージして下さい。

*03) 国際郵便又は信書便は、エアメールをイメージして下さい。

*04) 信書とは、特定の受取人に対し、差出人の意思を表示し、又は事実を通知する文書のことです。請求書、会議招集通知等が該当します。

4 非居住者に対する無形固定資産等の譲渡又は貸付け

1．非居住者に対する無形固定資産等の譲渡又は貸付け

非居住者に対する無形固定資産等[*01]**の譲渡又は貸付け**に関しては輸出取引等に該当します。

*01) 無形固定資産等には、鉱業権、特許権、実用新案権、商標権、著作権等があります。

2．非居住者[*02]の範囲（基通7－2－15）

非居住者とは**国内に住所又は居所を有しない自然人**及び**国内に主たる事務所を有しない法人**がこれに該当し、非居住者の国内の支店、出張所その他の事務所は、法律上の代理権があるかどうかにかかわらず、その主たる事務所が外国にある場合においても居住者とみなされます。

*02) 要するに、外国に住んでいる個人や外国に本社を有する法人のことです。

5 非居住者に対する役務の提供（基通7-2-16）

非居住者に対する役務の提供のうち、**非居住者が国内において直接便益を享受しないものが輸出取引等に該当**します。

そのため、同じく非居住者に対する役務の提供であっても国内において直接便益を享受するものは輸出取引等には該当しません。

免税となる取引	国内の事業者が非居住者からの依頼により国内で行う市場調査、広告宣伝等
免税とならない取引[01]	① 国内に所在する資産に係る運送や保管
	② 国内に所在する不動産の管理や修理
	③ 建物の建築請負
	④ 電車、バス、タクシー等による旅客の輸送
	⑤ 国内における飲食又は宿泊
	⑥ 理容又は美容
	⑦ 医療又は療養
	⑧ 劇場、映画館等の興行場における観劇等の役務の提供
	⑨ 国内間の電話、郵便又は信書便
	⑩ 日本語学校等における語学教育等に係る役務の提供

[01] 免税とならない、国内で直接便益を享受する役務の提供とは、国内にあるお店で受けるサービスや国内にある資産に関するサービスなど国内で取引が完結するものをいい、消費地課税主義の観点から非居住者に対して行ったものであっても課税取引となります。
外国人旅行者が国内のレストラン等で食事をする場合をイメージしてみましょう。

設例2-1　　　　　　　　　　　　　　　　　　　　　輸出免税取引の判定

次に掲げる取引のうち、免税取引に該当するものを選びなさい。なお、特に指示のあるものを除き、与えられた取引はすべて国内取引の要件を満たしている。また、譲渡及び貸付け並びに役務の提供については対価を収受している。

⑴ 内国法人が商品（課税資産）を外国の消費者に輸出販売する行為

⑵ 内国法人が国際運送料金を収受する行為

⑶ 内国法人が国際電話料金を収受する行為

⑷ 内国法人が輸出する物品の製造のための下請加工をする行為

⑸ 内国法人が特許権（日本で登録）を外国法人に売却する行為

⑹ 内国法人が外国法人の依頼により国内において広告宣伝する行為

⑺ 内国法人が日本に所在する建物の管理を外国人に対して行う行為

解答　　⑴、⑵、⑶、⑸、⑹

Chapter 4｜免税取引Ⅰ｜**4-5**　　（57）

解説

(1) 本邦からの輸出として行われる資産の譲渡は輸出取引等に該当するため、免税取引に該当します。

(2)(3) 国際通信、国際郵便、国際輸送は輸出取引等に該当するため、免税取引に該当します。

(4) 輸出免税を受けられる取引は、自ら輸出を行う取引に限られるため、輸出物品の製造のための下請加工は免税取引とならず、7.8%課税取引に該当します。

(5) 登録地が日本国内である無形固定資産の非居住者に対する譲渡は、輸出取引等に該当するため免税取引に該当します。

(6)(7) 非居住者に対する役務の提供は、その非居住者が国内において直接便益を享受するかしないかにより、輸出取引等に該当するか否かを判定します。

Try it   輸出免税等

次に掲げる取引のうち、免税取引に該当するものを選びなさい。なお、特に指示のあるものを除き、与えられた取引はすべて国内取引の要件を満たしており、外国法人は国内に支店等を有していない。また、資産の譲渡及び貸付け並びに役務の提供については対価を収受している。

(1) 内国法人が、外国法人に対しオーストラリアにある山荘を賃貸する行為

(2) 内国法人が、外国法人に対して特許権（アメリカで登録）の譲渡をする行為

(3) 内国法人が、外国法人の依頼により日本国内の市場調査を行う行為

(4) 内国法人がイギリスの法人に対して、イギリスとフランス間の貨物輸送をする行為

(5) 内国法人が非居住者に対し、国内の施設に宿泊させる行為

解答

(3)

解説

(1) 資産の所在地が国外にあり、国外取引に該当するため、免税取引とはなりません。

(2) 特許権がアメリカで登録されているため、国外取引に該当し、免税取引とはなりません。

(3) 非居住者に対する役務の提供で、非居住者が国内において直接便益を享受しないため、輸出免税となります。

(4) 発送地又は到着地のいずれも日本でないため、国外取引となります。

(5) 非居住者に対する役務の提供で、非居住者が国内において直接便益を享受するため、輸出免税とはなりません。

Chapter 5

課税標準及び税率Ⅰ

Section 1 課税標準の概要

消費税に限らず、税額を計算する場合には、まず「課税標準」というものを求めます。

取引を表現する際、例えば「りんごが1つ売れた」など、様々な表現方法があります。

しかし、税金はあくまでも「納付税額」という金額で捉えられるため、「りんごを1つ」では計算ができないのです。そこで、税金を計算する際には、行われた取引を「金額」で捉える必要があります。この取引を金額で捉えたものが課税標準です。

1 課税標準とは

課税標準とは、**税額を計算するための基礎となる金額**のことであり、課税資産の譲渡等となる取引を金額で表したものです。この課税標準に基づき消費税額を計算します。

> **消費税法〈課税標準〉**[*01]
>
> 第28条① 課税資産の譲渡等に係る消費税の課税標準は、課税資産の譲渡等の対価の額とする。ただし、法人が資産を法人税法に規定する役員に譲渡した場合において、その対価の額がその譲渡の時における当該資産の価額に比し著しく低いときは、その価額に相当する金額をその対価の額とみなす。
>
> 第28条④ 保税地域から引き取られる課税貨物に係る消費税の課税標準は、その課税貨物につき関税定率法の規定に準じて算出した価格にその課税貨物の保税地域からの引取りに係る消費税以外の消費税等の額及び関税の額（附帯税の額に相当する額を除く。）に相当する金額を加算した金額とする[*02]。

[*01] 特定課税仕入れについては、応用編で見ていきます。

[*02] 輸入取引については、基礎完成編で見ていきます。

(60) **5-2**

Section 2 国内取引の課税標準

国内取引の消費税の納付税額の計算を行う上で、まず始めに「預かった消費税」である「課税標準額に対する消費税額」を求めます。
Section 1 で学習したように、課税標準は、取引を金額で捉えていきますが、ここでは具体的な計算方法や金額の捉え方について学習していきましょう。

1 国内取引の課税標準の概要

課税資産の譲渡等に係る消費税の課税標準は、課税資産の譲渡等の対価の額（税抜）とします。

- 課税標準額[*01]
  国内課税売上合計（税込）× $\dfrac{100}{110}$ ＝×××円→××,000円（千円未満切捨）
- 課税標準額に対する消費税額
  課税標準額×税率（7.8％）＝課税標準額に対する消費税額（預かった消費税額）

[*01] この計算方法を「割戻し計算」といいます。他に「積上げ計算」があり基礎完成編で見ていきます。

2 課税資産の譲渡等の対価の額（法28①、基通10-1-1）

「課税資産の譲渡等の対価の額」とは、課税資産の譲渡等となる取引につき、対価として**収受し、又は収受すべき**一切の金銭又は金銭以外の物若しくは権利その他の経済的利益の額をいい、**消費税額等を含まない金額**です。
また、この場合の「収受すべき」とは、その課税資産の譲渡等を行った場合のその課税資産等の価額[*01]をいうのではなく、その譲渡等に係る**当事者間で授受することとした対価の額**[*02]をいいます。

[*01]「価額」とは時価を指します。

[*02] 資産そのものの価格ではなく実際に取引された金額です。
バーゲンをイメージすると、値引前の値札ではなく、実際に受け取った値引後の金額が対価の額となります。

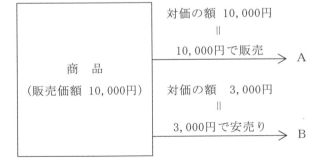

〈経済的利益〉（基通10-1-3）
課税標準で規定されている「金銭以外の物若しくは権利その他経済的な利益」とは、例えば、課税資産の譲渡等の対価として金銭以外の物若しくは権利の給付を受け、又は金銭を無償若しくは通常の利率よりも低い利率で借受けをした場合のように、実質的に資産の譲渡等の対価と同様の経済的効果をもたらすものをいいます。

設例2－1　　　　　　　　　　　　　　　　　　　　　　　　　　　　課税標準

次の【資料】により、当社の課税標準額及び課税標準額に対する消費税額を求めなさい。なお、当社は当課税期間（令和7年4月1日～令和8年3月31日）まで継続して課税事業者であり、金額は税込みであり、軽減税率が適用される取引は含まれていない。

【資料】
(1) 国内の事業者への商品売上高：22,000,000円
　① 商品売上高の中には、定価5,250,000円の商品を値下販売した商品売上高5,100,000円が含まれている。
　② 上記の商品売上高の他に、社内販売により従業員に対し、販売した際の売上高が880,000円ある。
(2) 固定資産売却損：200,000円
　　帳簿価額4,500,000円の車両を4,300,000円で売却し、固定資産売却損200,000円を計上したものである。

|解答|
課税標準額　　　　　　　　　　　24,709,000　円
課税標準額に対する消費税額　　　 1,927,302　円

|解説|
(1) 課税標準額
　22,000,000円＋880,000円＋4,300,000円＝27,180,000円
　27,180,000円×$\frac{100}{110}$＝24,709,090円　→　24,709,000円（千円未満切捨）
(2) 課税標準額に対する消費税額
　24,709,000円×7.8％＝1,927,302円

〈対価の額とは〉
　Chapter2で学習した課税の対象となる4要件で、「対価を得て行われる」という要件を学習しました。
　ここでいう対価とは、物などを対価として受け取った場合のように金銭に限らず、資産の譲渡等に対して何らかの「見返り」がある場合に、この見返りを「対価」といいました。
　したがって、「対価の額」とは、この「対価」を金額で表したものということになります。

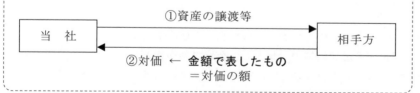

3 その他の事項

上記のほかに、課税標準額の計算には、以下の留意点があります。

1. 個別消費税の取扱い（基通10－1－11）

課税資産の譲渡等の対価の額には、酒税、たばこ税、揮発油税、石油石炭税、石油ガス税等が含まれます。

一方、**軽油引取税、ゴルフ場利用税**及び**入湯税**は、利用者等が納税義務者となっているので対価の額には含まれません。

ただし、その税額に相当する金額について明確に区分されていない場合は、対価の額に含まれます。

対価の額に含めない	・軽油引取税[01] ・ゴルフ場利用税[01] ・入湯税[01]	※金額が明確に区分されていない場合には、対価の額に含まれます。
対価の額に含める	・酒税 ・たばこ税 ・揮発油税 ・石油石炭税 ・石油ガス税	

[01) この３つの税金の名称だけ押さえましょう。

設例2－2　　　　　　　　　　　　　　　　　　　個別消費税の取扱い

次の【資料】により、当社の課税売上げの金額を求めなさい。なお、資料の金額は税込みである。

【資料】

当社（ゴルフ場経営）は、ゴルフ場利用者からゴルフプレー代50,000円（うちゴルフ場利用税1,750円）を受け取った。

解答　課税売上げ　[48,250] 円

解説

50,000円－1,750円＝48,250円

2．家事共用資産の譲渡（基通10－1－19）

　個人事業者が、事業と家事の用途に共通して使用するものとして取得した資産を譲渡した場合には、その譲渡に係る金額を**事業としての部分と家事使用に係る部分に合理的に区分**します。この場合、事業としての部分に係る対価の額が資産の譲渡等の対価の額となります[*02]。

*02) 詳しくは応用編で見ていきます。

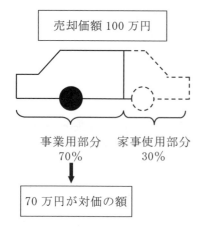

対価の額に含める	事業としての部分
対価の額に含めない	家事使用に係る部分

設例2－3　　　　　　　　　　　　　　　　　　　　　　　家事共用資産の譲渡

次の【資料】により、個人事業者Nの課税売上げの金額を求めなさい。

なお、資料の金額は税込みである。

【資料】

　個人事業者Nは、2階建の店舗兼住宅を3,000,000円（建物部分相当額）で譲渡した。

　この店舗兼住宅について、購入時より1階店舗部分のみを事業の用に供しており、2階部分はNの自宅として使用している。

　なお、各階の床面積は同一である。

解答　課税売上げ　1,500,000　円

解説

$3,000,000円 \times \dfrac{1}{1+1} = 1,500,000円$

Section 3 税率

私たちが普段支払っている消費税10%という税率は、正確には国税と地方税で構成されている税率だということをChapter 1で学習しました。

ここでは、もう一度、消費税の税率について学習していきましょう。

1 消費税の税率（法29）

消費税の税率は**7.8%**[01]です。

また、地方消費税は7.8%の税額に対する$\frac{22}{78}$、すなわち2.2%（$7.8\% \times \frac{22}{78}$）

とされています。

*01) 令和元年10月1日以後の取引について適用されます。
令和元年9月30日以前の税率は、6.3%（地方消費税1.7%）です。

国 税 部 分	7.8%
地 方 税 部 分	$7.8\% \times \dfrac{22}{78} = 2.2\%$

> **消費税法〈税率〉**
> 第29条 消費税の税率は、次の各号に掲げる区分に応じ当該各号に定める率とする。
> 一 課税資産の譲渡等（軽減対象課税資産の譲渡等を除く。）、特定課税仕入れ及び保税地域から引き取られる課税貨物（軽減対象課税貨物を除く。）…100分の7.8
> 二 軽減対象課税資産の譲渡等及び保税地域から引き取られる軽減対象課税貨物…100分の6.24

参　考

消費税率の変遷

		国　　税	地方税	合　　計
平成元年4月1日～平成 9年3月31日		3%	－	3%
平成9年4月1日～平成26年3月31日		4%	1%	5%
平成26年4月1日～令和元年9月30日		6.3%	1.7%	8%
令和元年10月1日～	標準税率	7.8%	2.2%	10%
	軽減税率	6.24%	1.76%	8%

Chapter 5 | 課税標準及び税率Ⅰ | **5-7**

| Try it | 納付税額の計算 |

　株式会社甲社は、小売業を営んでいる法人であり、甲社の令和7年4月1日から令和8年3月31日までの課税期間に関連する取引の状況は、次のとおりである。

　これに基づき、当課税期間における確定申告により納付すべき消費税額をその計算過程を示して計算しなさい。なお、【資料】の金額は税込みであり、軽減税率が適用される取引は含まれていない。

【資料】

1　当課税期間の収入

　⑴　営業収益に係るもの

　　　課税商品国内売上高　　　　　　　　107,685,700円

　⑵　営業外収益に係るもの

　　①　受取利息　　　　　　　　　　　30,000円

　　②　保有株式に係る配当金　　　　　　50,000円

　　③　有価証券売却益　　　　　　　　100,000円

　　　甲社が保有していた株式（帳簿価額400,000円）を500,000円で売却したことによるものである。

　⑶　特別利益に係るもの

　　①　固定資産売却益　　　　　　　　300,000円

　　　甲社が保有する土地を4,000,000円（帳簿価額3,700,000円）で売却したことにより計上したものである。

　　②　固定資産売却損　　　　　　　1,200,000円

　　　甲社が保有する機械（帳簿価額3,000,000円、譲渡時の価額3,800,000円）を乙社へ1,800,000円で売却したことにより計上したものである。

　2　当課税期間の支出

　　　当課税期間の課税仕入れの金額は、34,000,000円であり、その税額は全額控除できるものとする。

　3　中間納付税額

　　　甲社が当課税期間中に中間納付した消費税額は2,360,000円である。

解答欄

I　課税標準額に対する消費税額の計算

〔課税標準額〕

計　算　過　程		（単位：円）
	金額	円

〔課税標準額に対する消費税額〕

計　算　過　程	（単位：円）	金額	円

II　仕入れに係る消費税額の計算等

〔控除対象仕入税額〕

計　算　過　程		（単位：円）
	金額	円

III　納付税額の計算

〔納付税額〕

計　算　過　程		（単位：円）
	金額	円

解 答

Ⅰ 課税標準額に対する消費税額の計算

〔課税標準額〕

計 算 過 程	（単位：円）
商品売上107,685,700＋機械売却1,800,000＝109,485,700 $109,485,700 \times \dfrac{100}{110} = 99,532,454 \rightarrow 99,532,000$ （千円未満切捨）	

	金額	円
		99,532,000

〔課税標準額に対する消費税額〕

計 算 過 程 （単位：円）	金額	円
$99,532,000 \times 7.8\% = 7,763,496$		7,763,496

Ⅱ 仕入れに係る消費税額の計算等

〔控除対象仕入税額〕

計 算 過 程	（単位：円）
$34,000,000 \times \dfrac{7.8}{110} = 2,410,909$	

	金額	円
		2,410,909

Ⅲ 納付税額の計算

〔納付税額〕

計 算 過 程	（単位：円）
(1) 差引税額 　$7,763,496 - 2,410,909 = 5,352,587 \rightarrow 5,352,500$ （百円未満切捨） (2) 納付税額 　$5,352,500 - 2,360,000 = 2,992,500$	

	金額	円
		2,992,500

解 説

(1) 非課税取引：受取利息、有価証券の売却、土地の売却

(2) 不課税取引：受取配当金

Chapter 6

納税義務者 I

Section 1 納税義務者の原則

Chapter 1で学習したように、消費税は商品を購入したり、サービスを受ける消費者が負担する税金ですが、実際の納付は、商品の販売等を行った事業者が納税義務者となり、消費者から預かった消費税の納付を行います。

ここでは、具体的に納税義務者の規定について確認しましょう。

1 納税義務者の原則

国内取引の納税義務者は、**事業者**（すなわち、個人事業者及び法人）であり、**国内で行った課税資産の譲渡等**（特定資産の譲渡等[01]に該当するものを除く。）**及び特定課税仕入れ**[01]につき**納税義務者**となります。

したがって、事業者以外の者が国内取引の消費税の納税義務者となることはありません。

また、輸入取引は、これとは異なり保税地域から引き取られる外国貨物を課税の対象としていることから、**外国貨物を保税地域から引き取るすべての者を納税義務者**とし、事業者であるか否かを問いません[02]。

[01] 特定資産の譲渡等と特定課税仕入れについては、応用編で見ていきます。

[02] 「外国貨物の保税地域からの引取り」については、Chapter 2を参照して下さい。

消費税法〈納税義務者〉

第5条① 事業者は、国内において行った課税資産の譲渡等（特定資産の譲渡等に該当するものを除く。）及び特定課税仕入れにつき、この法律により、消費税を納める義務がある。

② 外国貨物を保税地域から引き取る者は、課税貨物につき、この法律により、消費税を納める義務がある。

＜納税義務者の範囲＞

		国内取引	輸入取引
事業者	個人事業者	納税義務者	納税義務者
	法　　人		
事業者以外（消費者）		納税義務者でない	納税義務者

（70）6-2

Section 2 小規模事業者に係る納税義務の免除

Section 1 で学習したように、国内取引の消費税では課税資産の譲渡等を行った事業者を納税義務者として規定していますが、一定の理由から事業規模の比較的小さい事業者に関しては、納税義務を免除することとしています。

ここでは、国内取引の納税義務の免除の対象となる者について確認しましょう。

1 意 義（法9①）

消費税では、「基準期間における課税売上高[*01]が1,000万円以下の事業者」については、Section 1 で学習した納税義務者の原則の規定にかかわらず、国内取引の消費税の納税義務を免除しています。

この消費税の納税義務の免除の対象となる事業者のことを「**免税事業者**」といいます。

したがって、問題を解く上では、まず計算の冒頭でこの**納税義務の有無の判定を行う必要**があります。

なお、輸入取引については納税義務の免除の規定は設けられていませんので、Section 1 で学習したように、外国貨物を保税地域から引き取るすべての者が納税義務者になるので注意しましょう。

> **消費税法〈小規模事業者に係る納税義務の免除〉**
> 第9条① 事業者のうち、その課税期間に係る基準期間における課税売上高が1,000万円以下である者（適格請求書発行事業者を除く。）については、納税義務の原則の規定にかかわらず、その課税期間中に国内において行った課税資産の譲渡等及び特定課税仕入れにつき、消費税を納める義務を免除する。ただし、この法律に別段の定めがある場合は、この限りでない。

*01) 詳しくは ③ で見ていきます。

2 趣 旨

例えば、その年の売上げが1,000万円の事業者があったとします。この事業者が消費者から預かった消費税額は年間78万円となります。消費税の納付税額は、この預かった消費税から仕入れの際に支払った消費税を控除して求めますので、この事業者の納付税額は年間数万円から数十万円規模ということになります[*01]。

このような小規模事業者が、消費税の計算を行うことは**納税事務負担が大きい**と考えられます。

また、他方でこれらの事業者の納付税額の規模を考えると、免除したとしても税収への影響は少ないため、**税務執行面への配慮**からも免税事業者とすることが妥当であると捉えられています。

*01) 仮に1,000万円を365日で割ってみると1,000万円÷365日≒27,397円となります。

これを1杯800円のラーメンを売るラーメン屋さんだと考えると1日の販売数が27,397円÷800円≒34杯となり、ここにいう小規模事業者の事業規模がかなり小さい規模を指していることが伺えます。

Chapter 6｜納税義務者 I｜**6-3**

3 納税義務の有無の判定

1. 納税義務の有無の判定

[判定式]

基準期間における課税売上高（税抜）>1,000万円　∴納税義務あり
　　　　　　　　　　　　　　　　　≦1,000万円　∴納税義務なし

2. 基準期間

基準期間とは、原則として、**個人事業者の場合は前々年、法人の場合は前々事業年度**[01]が該当します。

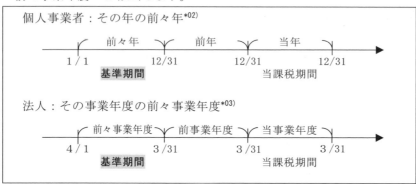

3. 基準期間における課税売上高

基準期間における課税売上高は、以下のように計算します。なお、いずれの計算も基準期間の金額を使用します。

① 総課税売上高（税抜）

　課税売上げの合計額（税込）× $\dfrac{100}{110}$ ＋免税売上げの合計額

② 課税売上げに係る返還等の金額（税抜）[04]

　$\left[\begin{array}{c}\text{国内課税売上げに係る}\\\text{返還等の金額（税込）}\end{array} - \begin{array}{c}\text{国内課税売上げに係る}\\\text{返還等の金額（税込）}\end{array}\times\dfrac{7.8}{110}\times\dfrac{100}{78}\right]$ [05] ＋ 免税売上げに係る返還等の金額

③ 基準期間における課税売上高（税抜）

　①－②

消費税率の変遷	国　税	地方税	合　計
平成9年4月1日～平成26年3月31日	4％	1％	5％
平成26年4月1日～令和元年9月30日	6.3％	1.7％	8％

なお、**基準期間において免税事業者であった場合**には、基準期間の課税売上高に消費税が含まれていません。そのため、課税売上高を計算する際には、課税売上げの合計額及び国内課税売上げに係る返還等の金額について**税抜処理をしない**点に注意が必要です。

---

[01] 消費税の課税事業者となる場合には、消費税額を販売価格に反映させる必要があるため、対象となる課税期間の開始の日において、納税義務が生じているか否かを事業者自身が把握しておく必要があります。
しかし、消費税の申告は、課税期間が終了してから2ヵ月以内に行われ、前課税期間の課税売上高が課税期間開始の日に把握できないため前々年又は前々事業年度を基準期間とすることとしています。

[02] 特例はないため、常に前々年が基準期間となります。

[03] 特殊な場合の特例があります。

[04] 売上げに係る返還等とは、売上げに係る返品や値引き・割戻し等を指します。

[05] 地方消費税は、国税である消費税7.8％の税額の22/78であるため、国税7.8％の税額の100/78（78/78＋22/78）で10％分の税額を表します。なお、計算は7.8/110を乗じた後、100/78を乗じた後のそれぞれで円未満の端数を切捨てます。

① 総課税売上高（税抜処理不要）

　　課税売上げの合計額＋免税売上げの合計額

② 課税売上げに係る返還等の金額（税抜処理不要）

　　国内課税売上げに係る　＋　免税売上げに係る
　　返還等の金額　　　　　　　返還等の金額

③ 基準期間における課税売上高

　　①－②

設例2－1　　　　　　　　　　　　　　　　　　　　　　　　　納税義務の有無の判定(1)

　次の【資料】に基づいて基準期間（令和5年4月1日～令和6年3月31日）における課税売上高を計算し、当課税期間の納税義務の有無を判定しなさい。

　なお、基準期間は課税事業者に該当しており、資料の金額は税込みである。

【資料】

(1)　課税商品売上高　　　　　　　　13,000,000円

　　（うち輸出免税売上高　　　　　　2,500,000円）

(2)　売上返還等　　　　　　　　　　1,400,000円

　　（うち輸出免税売上高に係るもの　350,000円）

(3)　受取利息　　　　　　　　　　　　130,000円

(4)　車両売却収入　　　　　　　　　　800,000円（売却益50,000円）

解答

| 基準期間における課税売上高 | 11,468,180 | 円 |
| 納税義務の有無の判定 | ㊤ あり ・ なし | |

解説　（単位：円）

1．基準期間における課税売上高

(1)　総課税売上高

$$(13,000,000-2,500,000+800,000) \times \frac{100}{110} + 2,500,000 = 12,772,727$$

　　　　　　課税売上げの合計額　　　　　　　　　　　　　免税売上げの合計額

　受取利息130,000円は、非課税売上げであるため、課税売上げの合計額に含めません。

　車両売却については、売却損益は関係がなく、売却収入金額を計上します。そのため、800,000円を課税売上げの合計額に含めることとなります。

　なお、(1)のうち輸出免税売上高2,500,000円は消費税が含まれていないため、税抜処理の際、一旦差し引いた後、改めて合算します。

(2)　課税売上げに係る返還等の金額

$$\{(1,400,000-350,000) - (1,400,000-350,000) \times \frac{7.8}{110} \times \frac{100}{78}\} + 350,000 = 1,304,547$$

　　国内課税売上げに　　　　国内課税売上げに係る　　　　　　免税売上げに係る
　　係る返還等の金額　　　　　返還等の金額の税額　　　　　　　返還等の金額

　総課税売上高の計算と同様に輸出免税売上高に係る返還等についても税抜処理が不要であるため、注意が必要です。

⑶　基準期間における課税売上高

　　　12,772,727－1,304,547＝11,468,180

２．納税義務の有無の判定

　　11,468,180　＞　10,000,000　　　∴納税義務あり

Try it　　　　　　　　　　　　　　　　　　　　　　　　　　納税義務の有無の判定⑵

　次の【資料】に基づいて基準期間における課税売上高を計算し、当課税期間の納税義務の有無を判定しなさい。

　なお、基準期間は課税事業者に該当しており、資料の金額は税込みである。

【資料】

取引の状況	前々事業年度 自令和5年4月1日 至令和6年3月31日
Ⅰ　資産の譲渡等の金額	20,144,410円
Ⅰのうち非課税取引に係るもの	1,038,600円
Ⅰのうち免税取引に係るもの	1,510,285円
Ⅱ　Ⅰの売上げに係る対価の返還等	514,030円
Ⅱのうち非課税取引に係るもの	34,560円
Ⅱのうち免税取引に係るもの	32,247円

解答欄

〔基準期間における課税売上高の計算〕　　　　　　　　　　　　　　（単位：円）

解答

〔基準期間における課税売上高の計算〕 （単位：円）

(1) $(20,144,410-1,038,600-1,510,285) \times \dfrac{100}{110} + 1,510,285 = 17,506,216$

(2)① $514,030-34,560-32,247 = 447,223$

② $\left(447,223-447,223 \times \dfrac{7.8}{110} \times \dfrac{100}{78}\right) + 32,247 = 438,814$

(3) (1)－(2)② ＝ 17,067,402

$17,067,402 > 10,000,000$ ∴ 納税義務あり

解説

　税理士試験では、このような形式で基準期間の課税売上高の計算資料が与えられますので資料の読み取りが正確にできるよう練習してください。

Chapter 6｜納税義務者Ⅰ｜*6-7*　（75）

国内取引の納税義務者における「特定課税資産の譲渡等」及び「特定課税仕入れ」

　国境を越えた役務の提供に係る課税の見直し（平成27年10月1日から施行）及び国外事業者による芸能・スポーツ等の役務の提供に係る課税方式の見直し（平成28年4月1日から施行）が行われたことに伴い、いわゆるリバースチャージ方式（納税義務者が資産の譲渡等を行う事業者から、課税仕入れを行う事業者に転換される方式）による課税が行われることとなった。

　このため、納税義務の対象となる課税資産の譲渡等から「特定資産の譲渡等に該当するもの」（リバースチャージ対象のもの）を除くとともに、課税仕入れのうち特定仕入れに該当するもの（特定課税仕入れ：リバースチャージ対象の仕入れ）を加える改正が行われた（平成27年10月1日施行）。（詳細は応用編で学習。）。

> （改正前条文）
> 　　事業者は、国内において行った課税資産の譲渡等につき、この法律により、消費税を納める義務がある。

> （改正後条文）
> 　　事業者は、国内において行った課税資産の譲渡等（特定資産の譲渡等に該当するものを除く。）及び特定課税仕入れ（課税仕入れのうち特定仕入れに該当するものをいう。）につき、この法律により、消費税を納める義務がある

Chapter 7

仕入税額控除Ⅰ

Section 1 仕入税額控除の概要

Chapter 1 では、消費税の仕組みとして、税の累積を避けるために売上げ時に「預かった消費税」から、仕入れ時に「支払った消費税」を控除して納付税額を求める「前段階控除」というものを学習しました。

ここでは、「支払った消費税」である仕入れに係る消費税額の控除について学習していきましょう。

1 税額控除とは

消費税において、課税標準額に対する消費税額から控除できる項目（税額控除）には次の4つがあります。

(1) 仕入れに係る消費税額の控除[*01] （仕入税額控除）

(2) 売上げに係る対価の返還等をした場合の消費税額の控除

(3) 特定課税仕入れに係る対価の返還等を受けた場合の消費税額の控除

(4) 貸倒れに係る消費税額の控除

> *01) 消費税法では、「仕入れに係る消費税額の控除」と記載されています。

```
            消費税額の計算
(1)  課税標準額に対する消費税額
   ①  課税標準額
   ②  課税標準額に対する消費税額
(2)  税額控除                    ┌──────────────────────────────┐
                                │  ①  仕入れに係る消費税額の控除  │
                                │  ②  売上げに係る対価の返還等を  │
                                │     した場合の消費税額の控除    │
                                │  ③  特定課税仕入れに係る対価の  │
                                │     返還等を受けた場合の消費税額 │
                                │     の控除                      │
(3)  納付税額                    │  ④  貸倒れに係る消費税額の控除  │
   ①  差引税額                  └──────────────────────────────┘
   ②  納付税額
```

なお、仕入税額控除ができるのは、課税事業者に限られている点に注意が必要です[*02]。

また、仕入税額控除には**原則的な方法**と**簡易課税制度**[*03]がありますが、ここでは原則的な方法を学習します。

> *02) 免税事業者は納税義務がない代わりに、税額控除による還付も受けることはできません。

> *03) 基準期間における課税売上高が一定金額以下の事業者が選択できる制度です。
> 詳しくはChapter11で見ていきます。

(78) 7-2

2 仕入税額控除の趣旨

　消費税法の規定により、消費税の課税の対象[*01]は、事業者が行ったすべての「資産の譲渡及び貸付け並びに役務の提供」とされているため、一つの資産が最終的に消費者に届くまでに何度もの取引を経ると、**取引の都度、その売上げに対して消費税が課されることになります**[*02]。

　このような場合に、仕入税額控除を認めないと、事業者は売上げの際に各取引段階で累積した消費税を価格に上乗せすることになり、消費者までの取引回数が増えるほど税金部分が大きくなるとともに、価格が上昇してしまうことになります[*03]。

　そこで、事業者が**仕入れの際に負担した消費税額を、売上げに係る消費税額から控除することで、税の累積を排除**（前段階までの税を排除）する**前段階控除の手続**として、仕入税額控除の規定が認められています。

*01) 第4条「国内において事業者が行った資産の譲渡等には、消費税を課する。」

*02) 例えば本であれば、出版社、書店の各事業者が売上げを計上した各時点で消費税が課されることとなります。

*03) 前の事業者の売上げに係る消費税部分に対して更に消費税が課されることになり、税負担が大きくなってしまいます。
　詳しくはChapter 1を確認しましょう。

〈前段階控除方式〉

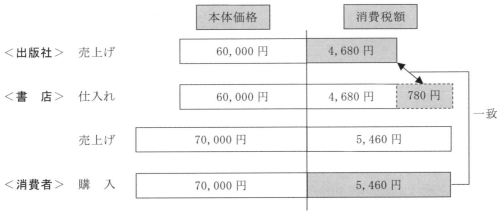

	出版社	書店	消費者
預かった税金（売上げ分の消費税）	4,680円	5,460円	―
支払った税金（仕入れ分の消費税）	―	4,680円	5,460円
納付税額	4,680円	＋ 780円	＝5,460円

Section 2 課税仕入れ等

消費税の計算を行う上で、仕入税額控除の対象となる取引を「課税仕入れ等」といいます。ここでは、どのような取引が課税仕入れ等に該当するのか詳しく見ていきます。なお、例外的なものを除き、課税仕入れ等とは、単に皆さんが日常において買い物をするときに、消費税を支払っている取引が該当するのだということを頭に置きながら確認していきましょう。

1 課税仕入れ等の範囲

1. 課税仕入れとは

課税仕入れとは、以下の要件を満たす取引をいいます。

(1) 事業として他の者から資産の譲渡等を受けること[*01]
(2) 給与等を対価とする役務の提供でないこと
(3) 取引の相手方(売り手側)が、事業として資産を譲り渡し、若しくは貸し付け、又はその役務の提供をしたとした場合に課税資産の譲渡等に該当することとなるもの[*02]
(4) 輸出免税取引等により消費税が免除されるものでないこと

> **消費税法〈課税仕入れ〉**
> 第2条①十二　事業者が、事業として他の者から資産を譲り受け、若しくは借り受け、又は役務の提供(給与等を対価とする役務の提供を除く。)を受けること(他の者が事業として資産を譲り渡し、若しくは貸し付け、又はその役務の提供をしたとした場合に課税資産の譲渡等に該当することとなるもので、輸出免税取引等により消費税が免除されるものを除く。)をいう。

*01) 資産の譲渡等の前提条件として、「対価の支払いがあること」も要件となります。

*02) 事業者としての相手方の立場から考えて、その取引が課税取引であるか否かで判断をします。
また、あくまでも相手方が事業として資産の譲渡等をした場合を仮定しているだけで、(1)〜(4)の要件を満たせば、仕入先が免税事業者や一般消費者(個人)であっても課税仕入れとなります。

＜課税仕入れの判断の流れ＞

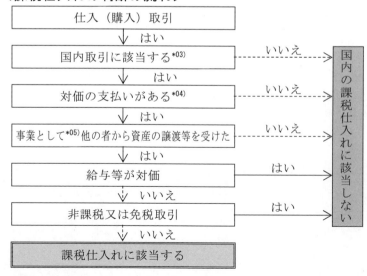

*03) 国外取引は消費税法の課税の対象にならず、税額控除できる課税仕入れに該当しません。

*04) 無償取引も基本的に消費税法の課税の対象にならず、課税仕入れにも該当しません。

*05) 個人事業者が家事のために購入したものは、課税仕入れに該当しません。

2．課税仕入れ判定上の注意点

　　課税仕入れには、商品等の仕入れの他、事務用品や固定資産の購入、手数料の支払い等、**事業遂行上必要なすべての取引が含まれます。**

　　このうち、取引が課税仕入れに該当するか否かを判断する上で、注意すべき取引として次のものがあります。

人件費関係	可否
① 給料や賃金	×
② 単身赴任手当	×
③ 通勤手当*06)（①に関するもの）	○
④ 出向社員の給与負担金*07)	×
⑤ 派遣会社に支払った派遣料*08)	○
⑥ 慶弔金（お祝金やお香典等で現金によるもの）	×
⑦ 渡切交際費*09)（機密費や使途不明金）	×

社員の出張旅費（日当を含む）	可否
① 国内出張に関する旅費*10)	○
② 海外出張に関する旅費	×

ゴルフクラブ等のレジャー施設の入会金	可否
① 脱退時に返還されない*11)	○
② 脱退時に返還される*12)	×

仕入先が免税事業者や個人	可否
① 課税資産の取得*13)	○
② 上記以外の資産の取得	×

その他の事項	可否
① 取得した課税資産が滅失した場合*14)	○
② 贈与目的の資産の取得	○
③ 金銭による寄附等*15)	×
④ 同業者団体等の会費（通常会費）	×
⑤ 同業者団体等の会費で資産の譲渡等の対価に該当*16)	○

*06) 通常、必要であると認められる部分に限られます。

*07) 給与負担金を支払う出向先事業者との雇用契約もあるため、給料のように扱います。

*08) 派遣先の事業者と派遣社員との間に雇用契約はなく、派遣会社（事業者）との契約によるサービスを受けるため、課税仕入れとなります。

*09) 領収書のない交際費と考えます。

*10) 通常、必要であると認められる部分に限られます。なお、出張に関する日当も課税仕入れに含まれます。

　　日当とは、従業員等の出張の際の手当として、1日あたりの金額を定めて支給するものをいいます。

*11) 返還されない場合は、サービスの提供を受けたものとして、課税仕入れに該当します。

*12) 返還される場合は、単にお金を預けただけなので、不課税取引です。

*13) 中古車販売店が一般のユーザーから中古車を買い取る場合等が該当します。

*14) たとえ取得した課税資産が使用も売却もされずに滅失した場合でも、課税仕入れに該当します。

*15) 金銭の贈与の場合は、対価性がないものとして不課税取引となります。

*16) 会費が出版物の購読料や研修の受講料等の対価である場合です。

Chapter 7｜仕入税額控除Ⅰ｜**7-5**　　（81）

設例2－1	課税仕入れの範囲

次の【資料】から、課税仕入れの金額を計算しなさい。

【資料】

1．商品（課税商品）の仕入高（すべて国内仕入れ）　　　　　　　　84,000,000円

　　　なお、当課税期間の商品仕入高の中には一般消費者からの仕入高300,000円と、免税事業者からの仕入高9,700,000円が含まれている。

2．販売費及び一般管理費

　(1)　人件費　　　　　　　　　　　　　　　　　　　　　　　　　29,800,000円

　　　なお、上記金額には以下のものが含まれている。

　　　　　通勤手当（通常必要と認められるもの）　　　　　　　　　1,300,000円

　(2)　貸倒引当金繰入額　　　　　　　　　　　　　　　　　　　　　500,000円

　(3)　減価償却費　　　　　　　　　　　　　　　　　　　　　　　21,400,000円

　(4)　旅費交通費　　　　　　　　　　　　　　　　　　　　　　　3,420,000円

　　　なお、上記金額には以下のものが含まれているが、これら以外のものは国内における課税仕入れに該当する。

　　　　　国内出張に関する旅費　　　　　　　　　　　　　　　　　310,000円

　　　　　海外出張に関する旅費　　　　　　　　　　　　　　　　　850,000円

　(5)　交際費　　　　　　　　　　　　　　　　　　　　　　　　　1,690,000円

　　　なお、内訳は以下のとおりである。

　　　　　取引先との飲食代　　　　　　　　　　　　　　　　　　　790,000円

　　　　　ゴルフクラブの入会金（脱退時に返還されない）　　　　　900,000円

　(6)　支払保険料　　　　　　　　　　　　　　　　　　　　　　　820,000円

　(7)　通信費　　　　　　　　　　　　　　　　　　　　　　　　　770,000円

　　　なお、内訳は以下のとおりである。

　　　　　国内電話料金　　　　　　　　　　　　　　　　　　　　　650,000円

　　　　　国際電話料金　　　　　　　　　　　　　　　　　　　　　120,000円

　(8)　租税公課　　　　　　　　　　　　　　　　　　　　　　　　1,800,000円

　(9)　雑費　　　　　　　　　　　　　　　　　　　　　　　　　　840,000円

　　　なお、上記金額には以下のものが含まれているが、これ以外のものは国内における課税仕入れに該当する

　　　　　慶弔金　　　　　　　　　　　　　　　　　　　　　　　　300,000円

　　　　　お茶菓子代　　　　　　　　　　　　　　　　　　　　　　115,000円

解答		
課税仕入れの金額	90,750,000	円

解説 （単位：円）

1. 相手方が免税事業者や一般消費者（個人）であっても、要件を満たせば課税仕入れとなります。したがって、商品（課税商品）の仕入高は、全額が課税仕入れとなります。

2. ⑴　給料等の人件費は基本的に課税仕入れとはなりません。ただし、通常必要であると認められる通勤手当に関しては、課税仕入れとなります。

　⑵⑶　貸倒引当金繰入額や減価償却費は資産の譲渡等にはあたらないため、課税仕入れとはなりません。

　⑷⑺　旅費交通費や通信費のうち、海外出張に関する旅費や国際電話料金は課税仕入れとはなりません。

　⑸　ゴルフクラブの入会金で脱退時に返還されるものは、単にお金を預けただけなので、課税仕入れにはなりませんが、本問は返還されないため、課税仕入れになります。

　⑹　保険料は非課税仕入れであるため、課税仕入れとはなりません。

　⑻　租税公課は対価性がない不課税仕入れであるため、課税仕入れとはなりません。

　⑼　慶弔金は、受取る側において課税対象外取引となるため、課税仕入れとなりません。

以上により、課税仕入れの金額は次のように計算されます。

$$\underset{\text{商品仕入高}}{84,000,000}+\underset{\text{通勤手当}}{1,300,000}+\underset{\text{旅費交通費総額}}{(3,420,000}-\underset{\text{海外出張旅費}}{850,000)}+\underset{\text{飲食代}}{790,000}+\underset{\text{入会金}}{900,000}+\underset{\text{国内電話料金}}{650,000}$$

$$+\underset{\text{雑費総額}}{(840,000}-\underset{\text{慶弔金}}{300,000)}=90,750,000$$

2 課税仕入れ等の時期（法30 ①一）

仕入税額控除は、次の日の属する課税期間に行います。

〈国内における課税仕入れ〉

資産の譲受け：**資産を譲り受けた（購入した）日**

資産の借受け：**資産を借り受けた日**

役 務 の 提 供：**役務の提供を受けた日**

設例2-2　　　　　　　　　　　　　　　　　　　　　　　　　課税仕入れ等の時期

次の【資料】から、当課税期間の課税仕入れの金額を計算しなさい。ただし、課税仕入れ等の時期に関しては、原則によること。

【資料】

1. 当課税期間の商品（課税商品）の仕入高は8,800,000円（すべて国内仕入れ）であった。このうち200,000円については、前課税期間に手付金として支払っていたものである。また、このほかに当課税期間に手付金400,000円を支払っているが、この手付金に係る商品は翌課税期間に仕入れるものである。

2. 当課税期間に車両1,500,000円を購入し、使用を開始した。ただし、代金は当課税期間末時点で未払いとなっている。また、この車両の減価償却費300,000円を計上した。

解答　　課税仕入れの金額　　　　10,300,000　　円

解説　（単位：円）

1. 資産の譲受けについては、資産を譲り受けた（購入した）日の属する課税期間の課税仕入れとします。したがって、当課税期間に手付金を支払っていても、資産を譲り受けていなければ課税仕入れとはなりません。

2. 減価償却資産についても、資産を譲り受けた日の属する課税期間の課税仕入れとします。

   したがって、代金が未払いであっても課税仕入れとなります。なお、減価償却費は課税仕入れとはなりません。

以上により、課税仕入れの金額は次のように計算されます。

$$8,800,000 + 1,500,000 = 10,300,000$$
　　商品仕入高　　　車両

Section 3 控除対象仕入税額の計算（基礎）

Section 2では、どのような取引が控除の対象となるか学習しました。このSectionでは具体的に控除税額の求め方を学習していきます。
ここから少し複雑な計算が入りますので、算式の意味を理解しながら押さえていきましょう。

1 計算方法（法30 ①）

課税仕入れに係る消費税額のうち、課税標準額に対する消費税額から実際に控除できる税額（控除対象仕入税額）は、以下の算式で計算します。

$$控除対象仕入税額 = 課税仕入れの総額（税込）^{*01)\ *02)} \times \frac{7.8}{110}$$

*01) 適格請求書等発行事業者からの課税仕入れを集計して計算します。
この計算方法を「割戻し計算」といい、他に適格請求書等の記載事項に基づいた「積上げ計算」があり、基礎完成編で見ていきます。

*02) 免税事業者、一般の消費者からの課税仕入れは原則として控除できません。

国内における課税仕入れ部分については、課税標準額に対する消費税額を求める際に、いったん課税標準額を求める方法とは異なり、控除対象仕入税額を求める場合には**課税期間中の国内課税仕入れの総額（税込）に直接110分の7.8を乗じて、課税仕入れに係る消費税額を計算**します。

2 控除できない仕入税額の考え方

Chapter 1では、仕入税額控除を行う理由として、前段階控除という仕組みを学習しました。前段階控除とは、一つの商品の流通過程に伴い事業者間で何度も売上げが計上されるため、その売上げについて、すべての消費税を取引の各段階の事業者が納付することにより税が累積されてしまいます。これを排除するために、取引の前段階の売上げにおいて納付されるべき消費税額（すなわち、仕入れに係る消費税額）を控除するというものでした。したがって、この前段階控除の考え方は、**取引の各過程で生じる売上げが課税売上げに該当することが前提**となります。

*01) ここでは国税（7.8%）分の消費税のみを取り扱います。

*02) 本来、消費税法は税込経理方式を前提としていますが、ここではわかりやすさを重視して税抜経理方式で解説しています。

*03) 計算を単純化するために、A社の課税仕入れは無いものとします。

*04) A社とB社の納付額を合計すると、結果として消費者が負担すべき消費税額（国税分）1,170円が国に納付されることとなります。なお、便宜上、百円未満切捨の端数処理はしていません。以下次ページにおいて同じ。

<課税仕入れと課税売上の場合>

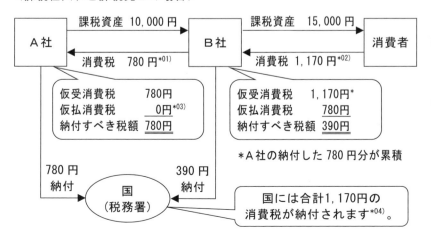

しかし、事業の内容によっては、**仕入れる際には消費税を払っている（課税仕入れ等）**にもかかわらず、**売上げが非課税売上げとなる**ことも考えられます[*05]。

この場合には、売上げの際に消費税を預からないため、取引の前段階の売上げで発生している消費税は、次の段階において納付されず**税が累積することはありません**。

このような状態であるにもかかわらず、原則どおりに仕入税額控除を認めてしまうことは、**本来国に対し納付されるべき消費税が納付されないこと**となってしまいます。

[*05] 例えば、タイヤ等の材料を仕入れ（課税仕入れ）、それらを組み立てて車いすを販売する（非課税売上げ）ようなケースが該当します。

＜課税仕入れと非課税売上の場合＞

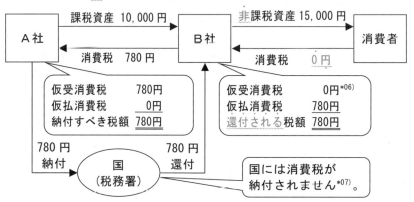

[*06] 非課税資産の譲渡なので、消費税は0円となります。

[*07] A社の納付した780円がB社に還付されるため、結果として国には消費税が一切納付されないことになってしまいます。

上記のような例の場合、B社がA社に支払った消費税額780円を控除の対象としているために、適切な消費税の納付がなされていないと考えられます。このとき、B社がA社に支払った消費税を控除できないようにすれば、A社のB社に対する課税売上げ10,000円に係る消費税額780円が、適切に納付されることとなります。

＜課税仕入れと非課税売上の場合＞

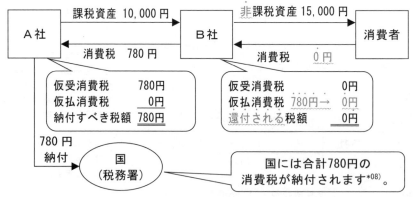

[*08] これで、A社の課税売上げ10,000円に係る消費税額（国税分）780円が適切に納付されることとなります。

このように、売上げの中に非課税売上げが含まれているときには、機械的にすべての課税仕入れ等に係る消費税額を控除の対象としてしまうことは妥当ではありません。

そこで仕入税額控除を行う際に、課税仕入れ等を「**課税売上げのための課税仕入れ等**」と「**非課税売上げのための課税仕入れ等**」に区分する必要があります。このように、取引を2者に区分する考え方を「**区分経理**」といいます。

3 区分経理と課税売上割合

　区分経理を行うにあたり、仕入税額控除の対象となる課税仕入れ等と対象とならない課税仕入れ等の判断基準として、**対応する売上げが「課税売上げ」なのか「非課税売上げ」なのか**に着目して見ていきます。しかし、Section 2 で学習したように課税仕入れ等に該当する取引は、会計上の「仕入れ」に該当する取引だけでなく、備品や固定資産の購入など多岐にわたるため、**すべての取引を上記2者に区分するということには不具合が生じる**ことがあります。

　そこで、区分経理を行うにあたり、取引を対応する売上げによって明確に区分できる上記2者の他、「**区分できない共通の課税仕入れ等**」を加えた3者に区分します*01)。

*01) 区分経理について詳しくは Section 5 で見ていきます。

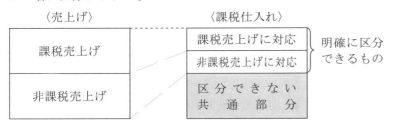

　この共通の課税仕入れ等は、取引の内容では区分できないため、**課税売上げと非課税売上げの比率**（これを「**課税売上割合**」*02) といいます）によって、便宜的に按分し、最終的には課税売上げに対応する部分と非課税売上げに対応する部分の2者に分類していきます。

*02) 課税売上割合の具体的な計算については Section 4 で見ていきます。

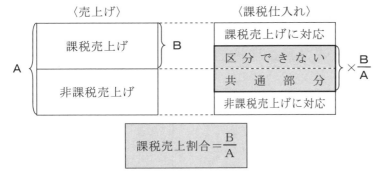

4 課税売上割合が95％以上の場合

　消費税における前段階控除の考え方においては、非課税売上げに対応する課税仕入れ等が控除されてしまうと、適正な税額が計算できないこととなってしまいます。他方で、課税仕入れ等のすべてを3者に区分をすることは煩雑な作業を伴います。

Chapter 7 | 仕入税額控除 I | 7-11

課税売上割合が高い場合には、この煩雑な作業を行ったとしても、本来控除できない非課税売上げに対応する課税仕入れ等が少ないと考えられるため、納付税額における影響額が少ないことから、便宜的に**課税売上割合が95％以上の場合**には課税仕入れ等に係る消費税額の全額を控除の対象とすることが認められています。

このように課税仕入れ等に係る消費税額の全額を控除する方法を「**全額控除**」といいます[01]。

5 課税売上高が5億円を超える場合の全額控除の不適用

上記4の全額控除は、課税売上割合95％以上を基準としていますが、その課税期間における**課税売上高**[01]が**5億円を超える**事業者については、これらにかかわらず**全額控除が適用できません**。

したがって、課税売上高が95％未満の場合と同様に区分経理を基礎とした計算を行うこととなります[02]。

なお、その課税期間における課税売上高が5億円を超えるか否かの判定は、その課税期間が1年に満たない場合には**1年に換算した金額**で行います。

6 控除対象仕入税額の計算

上記4と5の判定をまとめると以下のようになります。

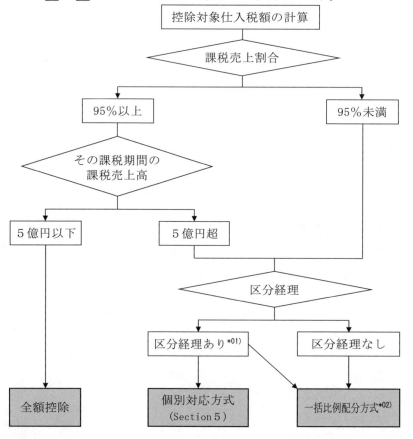

[01] 非課税の売上げが高い業種は、限られており（不動産賃貸業、医業等）一般的には、課税売上割合が95％未満になる納税者はあまりいないといえます。
しかし、区分経理は消費税の考え方を押さえる上でのキーとなる項目であり、税理士試験においては、最重要論点に挙げられるため、全額控除で税額を求める問題の出題は1回限りです。

[01] 当課税期間の課税売上げで判定します。

[02] 詳しくはSection 5で見ていきます。

[01]「区分経理あり」の場合のみ、2つの計算方法を選択することができます。詳しくは基礎完成編で見ていきます。

[02] 一括比例配分方式は基礎完成編で見ていきます。

| 設例３－１ | 控除対象仕入税額（全額控除の場合） |

次の【資料】から、控除対象仕入税額を計算しなさい。なお、当社は税込経理方式を採用している。ただし、当社の当課税期間（令和７年４月１日～令和８年３月31日）の課税売上割合は98％、当課税期間における課税売上高（税抜）は240,000,000円である。

【資料】

１．商品（課税商品）の仕入高　　180,000,000円

２．販売費及び一般管理費（すべて課税仕入れ）　　96,000,000円

（注）　軽減税率が適用される取引は含まれていない。

解答　控除対象仕入税額　　| 19,570,909 |　円

解説　（単位：円）

課税売上割合が95％以上で、かつ、当課税期間の課税売上高が５億円以下である場合には、課税仕入れに係る消費税額の全額が控除対象仕入税額となります。

また、計算の過程で端数が生じる場合には切り捨てます。

(1)　課税売上割合

98％ ≧ 95％

240,000,000 ≦ 500,000,000　　∴　按分計算は不要

(2)　課税仕入れに係る消費税額（＝控除対象仕入税額）

$(180,000,000+96,000,000) \times \dfrac{7.8}{110} = 19,570,909$

Section 4 課税売上割合

Section 3 で学習した課税売上割合は、すべての売上げに占める課税売上げの割合であり、控除対象仕入税額の計算では、区分経理を使った控除を行うか否かの判定を行う際や、課税仕入れの按分計算を行う際などに必要となる重要な割合です。

ここでは課税売上割合の具体的な求め方を見ていきましょう。

1 課税売上割合の意義

課税売上割合とは、その課税期間中の全売上高（課税売上げ（税抜）と免税売上げと非課税売上げ[*01]の合計額）に占める課税売上高（課税売上げ（税抜）と免税売上げの合計額）の割合をいいます。

*01) 非課税売上げが計算で登場するのは、この課税売上割合の部分だけです。

$$課税売上割合[*02] = \frac{課税資産の譲渡等の対価の額の合計額}{資産の譲渡等の対価の額の合計額}$$

$$= \frac{課税売上高（税抜）}{課税売上高（税抜）＋非課税売上高}$$

$$= \frac{課税売上げ（税抜）＋免税売上げ}{課税売上げ（税抜）＋免税売上げ＋非課税売上げ}$$

*02) 課税売上割合は、原則として端数処理は行わず、割り切れない場合には端数を維持して計算します。
ただし、事業者が任意の位で切り捨てている場合には、それも認められます。問題文に特段の指示がなければ端数を維持したままで、切り捨てる指示があれば、指示どおりに切り捨てて下さい（基通11-5-6）。

消費税法〈仕入れに係る消費税額の控除〉

第30条⑥ （途中略）課税売上割合とは、その事業者がその課税期間中に国内において行った資産の譲渡等（特定資産の譲渡等に該当するものを除く。）の対価の額の合計額のうちにその事業者がその課税期間中に国内において行った課税資産の譲渡等の対価の額の合計額の占める割合として政令で定めるところにより計算した割合をいう。

---

2 課税売上高

課税売上割合を求める計算式のうち、分子にあたる課税資産の譲渡等の対価の額の合計額（本書では「**課税売上高**」と呼ぶことにします）は、**課税売上げ（税抜）と免税売上げ[*01]の合計額（総課税売上高）から課税売上げに係る返還等の金額（税抜）を控除した金額（純課税売上高）**として計算されます。

*01) 「課税売上高」といいますが、免税売上げも含まれる点に注意しましょう。

計算のパターンを示すと、次のようになります。

（90）**7-14**

① 総課税売上高（税抜）

課税売上げの合計額（税込）$\times \dfrac{100}{110}$ ＋免税売上げの合計額

② 課税売上げに係る返還等の金額（税抜）[*02]

$$\left[\begin{array}{c}\text{国内課税売上げに係る} \\ \text{返還等の金額（税込）}\end{array} - \begin{array}{c}\text{国内課税売上げに係る} \\ \text{返還等の金額（税込）}\end{array} \times \dfrac{7.8}{110} \times \dfrac{100}{78}\,{}^{[*03]}\right] + \begin{array}{c}\text{免税売上げに係る} \\ \text{返還等の金額}\end{array}$$

③ 課税売上高（税抜）

①－②

3 非課税売上高

　課税売上割合を求める計算式のうち、分母に含める非課税売上高[*01]も、基本的な計算の流れは課税売上高と同様に、**非課税売上げの金額から非課税売上げに係る返還等の金額を控除して計算**します。

　計算パターンを示すと以下のようになります。

① 有価証券等（株式・公社債等）、貸付金等の金銭債権の譲渡の対価
　×５％＋その他の非課税売上高
② 非課税売上げに係る返還等の金額
③ 非課税売上高＝①－②

　ただし、課税売上高と異なる点が２点あります。

　１点目は、そもそも非課税売上げに係る譲渡対価には消費税等（地方消費税分も含む）に相当する金額が含まれていないため、**課税売上高のように税抜きの金額を計算する必要がありません。**

　２点目は、**非課税売上げのうち株式や公社債等の有価証券等、貸付金等の金銭債権の譲渡対価**については、**５％を乗じたものを非課税売上高**とします。これは、有価証券等の譲渡対価が譲渡益に対して多額となることが多く、これによって課税売上割合が著しく低くなることが考えられ、これを防ぐため、また、貸付金等の金銭債権については、不良債権の早期償却のため、採られた措置です。

*02) 売上げに係る返還等とは、売上げに係る返品や値引き・割戻し等を指します。詳しくはChapter 8 で見ていきます。

*03) Chapter 1 で学習したように地方消費税は、国税である消費税7.8％の税額の22/78 であるため、国税7.8％の税額の100/78（78/78＋22/78）で10％分の税額を表します。
なお、計算は7.8/110を乗じた後、100/78を乗じた後のそれぞれで円未満の端数を切捨てます。

*01) 非課税売上げの例については、Chapter 3 を参照して下さい。

Chapter 7｜仕入税額控除Ⅰ｜**7-15**　（91）

| 設例4－1 | 課税売上割合 |

次の【資料】から、当社の当課税期間（令和7年4月1日～令和8年3月31日）における課税売上割合を計算しなさい。なお、軽減税率が適用されるものは含まれていない。

【資料】（金額は税込）

1．当課税期間の売上高（すべて課税資産の譲渡等に該当する）　　　192,938,960円

　　　　なお、内訳は以下のとおりである。

　　　　　　国内売上高　　　　　　　　　　　　　　　　　176,938,960円

　　　　　　輸出免税売上高　　　　　　　　　　　　　　　 16,000,000円

2．当課税期間の課税売上げの返還等　　　　　　　　　　　　　 33,794,850円

　　　　なお、内訳は以下のとおりである。

　　　　　　当課税期間の国内売上げに対するもの　　　　　 32,353,750円

　　　　　　当課税期間の輸出免税売上げに対するもの　　　　1,441,100円

3．株式売却額　　　　　　　　　　　　　　　　　　　　　　 40,000,000円

4．土地売却額　　　　　　　　　　　　　　　　　　　　　　 52,000,000円

| 解答 | 課税売上割合 | 73 | ％ |

解説（単位：円）

　課税売上高の計算に際して、国内売上高とその返還等に関しては税抜の金額になおす必要がある点に注意が必要です。また、非課税売上高のうち有価証券等（株式・公社債等）の譲渡の対価に関しては5％を乗じなければならない点にも注意しましょう。

(1) 課税売上高（税抜）

① 総課税売上高（税抜）

$$176,938,960 \times \frac{100}{110} + 16,000,000 = 176,853,600$$

② 課税売上げに係る返還等の金額（税抜）

$$\left(32,353,750 - 32,353,750 \times \frac{7.8}{110} \times \frac{100}{78}\ ^{*01)}\right) + 1,441,100 = 30,853,600$$

③ 課税売上高（税抜）

　　①－②＝146,000,000

(2) 非課税売上高

　40,000,000×5％＋52,000,000＝54,000,000

(3) 課税売上割合

$$\frac{(1)}{(1)+(2)} = \frac{146,000,000}{200,000,000} = 0.73 \ (73\%)\ ^{*02)}$$

*01) この部分の端数処理については、掛け算ごとに切捨てます。

$$32,353,750 \times \frac{7.8}{110} = 2,294,175 \ （切捨）$$

$$2,294,175 \times \frac{100}{78} = 2,941,250 \ （切捨）$$

$$32,353,750 - 2,941,250 = 29,412,500$$

*02) 本問の場合、課税売上割合が73％であり、95％未満となっているため、課税仕入れに係る消費税額の全額を控除対象仕入税額とすることはできません。

Section 5 個別対応方式

消費税の基本的な考え方である前段階控除により、正しい金額の消費税が国に納付されるにはSection 3 で学習したように、取引を「課税売上げに対応する課税仕入れ」と「非課税売上げに対応する課税仕入れ」の2者に区分する必要があります。この分類のやり方として、取引を一つ一つ内容により区分していく「個別対応方式」と内容にはこだわらずに按分のみで分けてしまう「一括比例配分方式」があります。

ここでは、個別対応方式のやり方を確認しましょう。

1 個別対応方式とは（法30 ②一）

個別対応方式とは、全額控除が適用できない場合[*01]に、**課税仕入れ等について3つに区分**し、それぞれの区分に応じた控除税額を計算する方法です。

この方法を適用するためには、課税仕入れ等の区分を明らかにする**区分経理**が行われている必要があります。

> *01) Section 3 で学習したように、課税売上割合が95%未満の場合や課税売上割合が95%以上で、かつ、その課税期間における課税売上高が5億円を超える場合には全額控除が適用できません。

2 区分経理

1. 3つの区分

個別対応方式における区分経理では、課税仕入れ等を次の3つに区分します[*01][*02]。

- ・課税資産の譲渡等にのみ要するもの
- ・その他の資産の譲渡等[*03]（非課税資産の譲渡等）にのみ要するもの
- ・課税資産の譲渡等とその他の資産の譲渡等に共通して要するもの

> *01) これ以外の区分は認められません。
>
> *02) これ以降の本書における計算式や図等では、以下のように略すことがあります。
> ・課税資産の譲渡等にのみ要するもの→課
> ・その他の資産の譲渡等にのみ要するもの→非
> ・課税資産の譲渡等とその他の資産の譲渡等に共通して要するもの→共

2. 課税資産の譲渡等にのみ要するもの（基通11-2-12）

課税資産の譲渡等にのみ要するものには、例えば次のものがあります。

- ・販売用（課税）商品の仕入れ（そのまま他に譲渡される課税資産）
- ・課税資産の製造用にのみ消費、使用される原材料や工具の購入金額
- ・課税資産に係る倉庫料、運送費、広告宣伝費等

> *03) 非課税売上げとなる資産の譲渡等を「その他の資産の譲渡等」といいます。

これら仕入れについては、課税資産の譲渡等（すなわち課税売上げ）に直接対応するものですから、課税売上割合にかかわらず、仕入税額控除の趣旨に合うように、この区分の税額の**全額を控除の対象**とすべきです。

そのため、課税資産の譲渡等にのみ要する課税仕入れ等につき支払った消費税は**その全額が控除の対象**となります。

Chapter 7 | 仕入税額控除 I | **7-17** （93）

3．その他の資産の譲渡等にのみ要するもの

その他の資産の譲渡等にのみ要するものには、例えば次のものがあります。

> ・土地や有価証券の売却*04)の際に支払う売買手数料*05)
> ・販売用土地*04)の造成費用*05)

これらに係る消費税は、すべて非課税売上げとなる資産の譲渡等である**その他の資産の譲渡等**のためにのみ支払った消費税です。そのため、その他の資産の譲渡等にのみ要する課税仕入れ等につき支払った消費税は、課税売上割合にかかわらず、**仕入税額控除の対象とすべきではありません*06)**。

したがって、その他の資産の譲渡等にのみ要する課税仕入れにつき支払った消費税は、**その全額が控除の対象から除かれます。**

4．課税資産の譲渡等とその他の資産の譲渡等に共通して要するもの*07)

課税資産の譲渡等とその他の資産の譲渡等に共通して要するものには、例えば次のものがあります。

> ・会社全体に関係する通勤手当や水道光熱費等の販売費及び一般管理費
> ・株式発行の際に証券会社へ支払う手数料

水道光熱費を例にとると、課税資産の譲渡等（課税売上げ）のためにも必要であり、その他の資産の譲渡等（非課税売上げ）にも必要なものでもあるため、どちらか一方にのみ要したものとは言い切れません。

また、株式の発行についても企業の資本に関連することであるため会社全体に関係するものであり、その際の手数料もどちらか一方にのみ要したものとは言い切れません。

そのため、このような取引のために支払った消費税については、**課税売上割合を乗じた金額部分を、課税資産の譲渡等（課税売上げ）に対応する部分と考えて、控除の対象**とします。

---

*04) 土地や有価証券の売却は非課税売上げです。詳しくはChapter 3 を参照して下さい。

*05) 非課税売上げに関係するものですが、売買手数料そのものの支払いや、土地の造成費用は課税仕入れに該当します。詳しくはSection 2 を参照して下さい。

*06) 非課税売上げに対応する課税仕入れの消費税額を控除した場合の問題点については、Section 3 を参照して下さい。

*07) このテキストでは、「共通して要するもの」といっていきます。

3 計算方法

1. 各区分の課税仕入れの税額の計算

個別対応方式では、まず、3つの区分それぞれの課税仕入れ等の税額を以下の計算式[*01]で計算します。

$$\text{各区分における課税仕入れ等の税額} = \text{各区分における課税仕入れの総額（税込）} \times \frac{7.8}{110}$$

[*01] 計算式の考え方そのものは、Section 3 の基本的な考え方と同じです。

2. 控除対象仕入税額の計算

1．で計算した各区分の課税仕入れ等の税額について、それぞれの区分に応じて控除可能な仕入税額を合計して、控除対象仕入税額を計算します。

$$\text{控除対象仕入税額} = \text{課区分の税額} + \text{共区分の税額} \times \text{課税売上割合}$$

これを図で示すと、次のように表すことができ、図中の 　　 示した部分が控除対象仕入税額となります。

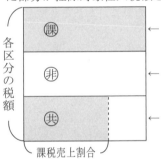

← 課税売上げにのみ対応する部分なので、**全額控除できる**

← 非課税売上げにのみ対応する部分なので、**控除の対象にならない**

← 共通して対応する部分なので、**課税売上割合を乗じて課税売上げに対応する範囲**が控除できる

| 設例５−１ | 控除対象仕入税額の計算（個別対応方式） |

次の【資料】から、個別対応方式による控除対象仕入税額を計算しなさい。なお、当社は税込経理方式を採用している。また、当社の当課税期間（令和７年４月１日〜令和８年３月31日）の課税売上割合は73％とする。なお、軽減税率が適用される取引は含まれていない。

【資料】

1. 商品（課税商品）の仕入高　　　　　　　　86,000,000円

2. 販売費及び一般管理費のうち、課税仕入高

   商品（課税商品）の荷造運搬費　　　　　　840,000円

   共通課税仕入れ　　　　　　　　　　　　14,750,000円

3. 特別損失のうち、課税仕入高

   土地売却手数料　　　　　　　　　　　　1,600,000円

4. 当課税期間に本社の備品2,000,000円を購入した。

| 解答 | 控除対象仕入税額 | 7,024,785 | 円 |

解説　（単位：円）

　この設例では、課税売上割合が73％であるため、控除対象仕入税額の計算にあたって按分計算が必要となります。

　個別対応方式の場合は、課税資産の譲渡等にのみ要するものに係る消費税額は全額控除可能ですが、反対にその他の資産の譲渡等にのみ要するものに係る消費税額は控除の対象にはなりません。実際に課税売上割合を使って按分するのは、共通して要するものに係る消費税額だけです。

(1) 課税売上割合

　　73％ ＜ 95％　　∴　按分計算が必要

(2) 区分経理及び税額

　① 課税資産の譲渡等にのみ要するもの

　　86,000,000＋840,000＝86,840,000

　　$86,840,000 \times \dfrac{7.8}{110} = 6,157,745$

　② その他の資産の譲渡等にのみ要するもの

　　$1,600,000^{*01)} \times \dfrac{7.8}{110} = 113,454$

　③ 共通して要するもの

　　14,750,000＋2,000,000＝16,750,000

　　$16,750,000 \times \dfrac{7.8}{110} = 1,187,727$

(3) 控除対象仕入税額

　　6,157,745＋1,187,727×73％＝7,024,785

　*01) 土地売却手数料は土地の売却が非課税資産の譲渡等（非課税売上げ）に該当するため、その他の資産の譲渡等にのみ要するものとなります。

4 区分経理に注意が必要な項目

1. 当期材料仕入高

　当期材料仕入高は、その製造される製品の売上げが課税売上げに該当するか非課税売上げに該当するかにより「**課税資産の譲渡等にのみ要するもの**」と「**その他の資産の譲渡等にのみ要するもの**」に分類します。

　なお、売上げが免税売上げとなる輸出用商品に関する課税仕入れについては、「**課税資産の譲渡等にのみ要するもの**」に区分されることに注意しましょう。

2. 仕入諸掛となる荷造運送費

　仕入商品を購入する際に必要となる荷造運送費は仕入商品の取得価額を構成するものであり、1. と同様に**販売される商品に係る売上げが課税売上げであるか否か**により区分します。

3. 広告宣伝費

　ある特定の商品やサービスを宣伝するための広告宣伝費は、その**宣伝に関する商品の売上げが課税売上げか否か**により 1. と同様に区分します。

　一方、特定の商品やサービスではなく企業そのものを宣伝するための広告宣伝費[01]は「**共通して要するもの**」として区分します。

*01) 企業のイメージアップを狙った広告等のことです。

4. 土地付建物の売却手数料

　建物と土地を土地付建物[02]として、まとめて売却する際の売却手数料は、原則として「**共通して要するもの**」として区分します。

*02) 建物の売却は課税売上げ、土地の売却は非課税売上げです。

5. 金銭以外の資産による寄附に係る仕入税額控除

　金銭による寄附の場合は、反対給付がないため課税仕入れが生じませんが、**備品などの資産を購入し、寄附した場合**は、その購入が課税仕入れに該当し、原則として「**共通して要するもの**」に区分します。

| 設例5-2 | 区分経理 |

次の(1)～(12)の課税仕入れについて、①課税資産の譲渡等にのみ要するもの、②その他の資産の譲渡等にのみ要するもの、③課税資産の譲渡等とその他の資産の譲渡等に共通して要するものに区分しなさい。ただし、特に指示のない限り、当社で扱う製品や材料等は課税資産に該当するものとする。

(1) 商品配送費用

(2) 本社社員の通勤手当

(3) 製造用機械の購入代金

(4) 車いす（非課税資産）の配送料

(5) 保養所施設（社員から料金を収受するもの）の賃借料

(6) 土地を売却する際に不動産業者へ支払った仲介手数料

(7) 有価証券を売却するために証券会社へ支払った手数料

(8) 本社従業員慰安のための国内旅行費

(9) 当社所有の社宅用賃貸マンションの維持管理委託費

(10) 輸出用商品の仕入代金

(11) 当社製品の広告宣伝費

(12) 本社建物の賃借料

解答
① 課税資産の譲渡等にのみ要するもの　　　(1)、(3)、(5)、(10)、(11)
② その他の資産の譲渡等にのみ要するもの　(4)、(6)、(7)、(9)
③ 共通して要するもの　　　　　　　　　　(2)、(8)、(12)

解説

(1)(3)(10) 課税資産である商品の配送費用や製造用機械の購入代金は、課税資産の譲渡等のために必要なものであるため、その課税仕入れは①課税資産の譲渡等にのみ要するものに区分します。また、輸出免税売上げも「課税資産の譲渡等」に該当するため、輸出用商品に係る課税仕入れもこの区分となります。

(2)(8)(12) 本社に関する課税仕入れは、事業のすべてに関係するものと考えられるため、特に指示がない限り③共通して要するものに該当すると考えます。

(4) 非課税資産の配送料は、非課税売上げのための課税仕入れとなるため、②その他の資産の譲渡等にのみ要するものに区分します。

(5) 保養所施設の賃借料は、保養所の料金収入という課税売上げのためにのみ必要な課税仕入れなので、①課税資産の譲渡等にのみ要するものに区分します。

(6)(7)(9) 土地や有価証券の売却、住宅の貸付けは非課税売上げとなります。したがって、これらのために要した手数料や維持管理費は②その他の資産の譲渡等にのみ要するものに区分します。

(11) 広告宣伝費は、課税資産である製品の販売のためのものであるため、①課税資産の譲渡等にのみ要するものに区分します。

| Try it | 納付税額の計算 |

　株式会社甲社は、課税商品の小売業を営んでいる法人であり、甲社の令和7年4月1日から令和8年3月31日までの課税期間に関連する取引の状況は、次のとおりである。これに基づき、当課税期間における確定申告により納付すべき消費税額をその計算過程を示して計算しなさい。なお、軽減税率が適用される取引は含まれていない。

　なお、甲社は、当課税期間まで継続して課税事業者に該当しており、課税売上割合が95%未満の課税期間は継続して個別対応方式を採用しており、当課税期間も個別対応方式により計算を行う。

【資料】

1

損　益　計　算　書		（単位：円）
Ⅰ　売　上　高		47,000,000
Ⅱ　売　上　原　価		
期首商品棚卸高	6,500,000	
当期商品仕入高	21,000,000	
合　　計	27,500,000	
期末商品棚卸高	5,500,000	22,000,000
売 上 総 利 益		25,000,000
Ⅲ　販売費及び一般管理費		
給　与　手　当	7,000,000	
荷　造　運　送　費	1,500,000	
その他の販売費及び一般管理費	3,700,000	12,200,000
営　業　利　益		12,800,000
Ⅳ　営　業　外　収　益		
受　取　利　息	200,000	
受　取　配　当　金	800,000	1,000,000
Ⅴ　営　業　外　費　用		
有価証券売却手数料		50,000
経　常　利　益		13,750,000
Ⅵ　特　別　損　失		
投資有価証券売却損		500,000
税引前当期純利益		13,250,000

2　損益計算書の内容に関して付記すべき事項は、次のとおりである。

⑴　売上高：国外売上高10,000,000円が含まれている。

⑵　当期商品仕入高：海外支店の海外での仕入高6,000,000円が含まれている。

⑶　販売費及び一般管理費

　①　給与手当には、国内の通勤手当500,000円（通常必要と認められるもの）が含まれている。
　　これは課税資産の譲渡等とその他の資産の譲渡等に共通して要するものである。

　②　荷造運送費は、国内の課税商品の運送に係るもの1,200,000円、海外での運送に係るもの300,000円である。

　③　その他の販売費及び一般管理費は、課税資産の譲渡等とその他の資産の譲渡等に共通して要する課税仕入れであるが、海外で生じたものが1,100,000円含まれている。

⑷　有価証券売却手数料・投資有価証券売却損

　　投資有価証券売却損は、帳簿価額60,500,000円の株式を60,000,000円で売却したときの差額である。有価証券売却手数料はこれに伴う手数料である。

Chapter 7 | 仕入税額控除Ⅰ | 7-23

解答欄

I 課税標準額に対する消費税額の計算

〔課税標準額〕

計 算 過 程		（単位：円）
	金額	円

〔課税標準額に対する消費税額〕

計 算 過 程 （単位：円）	金額	円

II 仕入れに係る消費税額の計算等

〔課税売上割合〕

計 算 過 程		（単位：円）
	課税売上割合	円 ——————— 円

〔控除対象仕入税額〕

計 算 過 程	（単位：円）

（100）7-24

〔控除対象仕入税額〕（続き）

計　算　過　程		（単位：円）
	金額	円

Ⅲ　納付税額の計算

〔納付税額〕

計　算　過　程		（単位：円）
	金額	円

解 答

I 課税標準額に対する消費税額の計算

〔課税標準額〕

計 算 過 程	（単位：円）
$47,000,000 - 10,000,000 = 37,000,000$ $37,000,000 \times \dfrac{100}{110} = 33,636,363 \rightarrow 33,636,000$（千円未満切捨）	

金額	円
	33,636,000

〔課税標準額に対する消費税額〕

計 算 過 程 （単位：円）	金額	円
$33,636,000 \times 7.8\% = 2,623,608$		2,623,608

II 仕入れに係る消費税額の計算等

〔課税売上割合〕

計 算 過 程	（単位：円）
(1) 課税売上高 　　33,636,363 (2) 非課税売上高 　　$200,000 + 60,000,000 \times 5\% = 3,200,000$ (3) 課税売上割合 　　$\dfrac{(1)}{(1)+(2)} = \dfrac{33,636,363}{36,836,363} = 0.9131\cdots < 95\%$ 　　∴　按分計算が必要	

課税売上割合	$\dfrac{33,636,363}{36,836,363}$ 円

〔控除対象仕入税額〕

計 算 過 程	（単位：円）
(1) 区分経理及び税額 　① 課税資産の譲渡等にのみ要するもの 　　$(21,000,000 - 6,000,000) + 1,200,000 = 16,200,000$ 　　$16,200,000 \times \dfrac{7.8}{110} = 1,148,727$ 　② その他の資産の譲渡等にのみ要するもの 　　$50,000 \times \dfrac{7.8}{110} = 3,545$ 　③ 共通して要するもの 　　$500,000 + (3,700,000 - 1,100,000) = 3,100,000$ 　　$3,100,000 \times \dfrac{7.8}{110} = 219,818$	

（102）**7-26**

(2) 控除対象仕入税額

$$1,148,727+219,818\times\frac{33,636,363}{36,836,363}=1,349,449$$

金額	円
	1,349,449

Ⅲ 納付税額の計算

〔納付税額〕

計　算　過　程	（単位：円）
(1) 差引税額 　　2,623,608－1,349,449＝1,274,159→　1,274,100（百円未満切捨）	
(2) 納付税額 　　1,274,100	

金額	円
	1,274,100

解説

1　課税標準額に対する消費税額

　　国外売上高は、国内取引に該当しないため、計算から除きます。

2　課税売上割合

　(1)　非課税売上高

　　　受取利息と株式売却額が非課税取引になります。

　　　株式の売却額に5％を乗じるのを忘れないようにしましょう。

　　　受取配当金は不課税取引になります。

　(2)　課税売上割合

　　　端数処理をせずに、そのまま計算に用います。

3　控除対象仕入税額

　　海外支店の海外での仕入高は、国内取引に該当しないため、計算から除きます。

Chapter 7｜仕入税額控除Ⅰ｜ *7-27*　（103）

その課税期間の課税売上高が5億円を超える事業者の全額控除不適用について
（平成23年度税制改正）

　　95％ルール（課税売上割合が95％以上となる事業者に対し、仕入れに係る消費税額の全額を控除する規定。）は、その課税期間の課税売上割合が95％以上である全ての事業者に一律に認められていましたが、この95％ルールが事業者の事務負担に配慮する観点等から導入された制度としての本来の趣旨を踏まえ、この制度の対象者を、引き続き事務負担に配慮する必要があると考えられる一定規模以下の事業者に限定して適用することとされた（消法30②）。

　　具体的には、95％ルールの適用対象者をその課税期間の課税売上高が5億円以下の事業者に限ることとし、他方でその課税期間の課税売上高が5億円を超える事業者については、課税売上割合が95％以上であっても、仕入控除税額の計算に当たっては、個別対応方式か一括比例配分方式のいずれかの方法で計算することとなる。

Chapter 8

売上げに係る対価の返還等Ⅰ

Section 1 売上げに係る対価の返還等

Chapter 7で学習したように、消費税の税額控除は、全部で4つあります。ここでは、そのうちの売上げに対する返品や割戻し等があった場合（これらを消費税法では「売上げに係る対価の返還等」といいます）の取扱いについて見ていきましょう。

1 売上げに係る対価の返還等の概要（法38①）

1．売上げに係る対価の返還等の意義

売上げに係る対価の返還等とは、事業者が国内において行った**課税資産の譲渡等**について、**返品、値引き、割戻し**による、課税資産の譲渡等の税込価額の全部若しくは一部の返還又はその税込価額に係る売掛金等の全部若しくは一部の減額をいいます。すなわち、売上代金を返金したり、その売上げに関する債権の減額をした場合における、その返金額や減額した債権金額のことを指します。

なお、ここでいう**課税売上げには免税売上げは含まれません**。

> **消費税法〈売上げに係る対価の返還等をした場合の消費税額の控除〉**
> 第38条① 事業者（免税事業者を除く。）が、国内において行った課税資産の譲渡等（輸出免税取引等の規定により消費税が免除されるものを除く。）につき、返品を受け、又は値引き若しくは割戻しをしたことにより、その課税資産の譲渡等の対価の額とその対価の額に100分の10を乗じて算出した金額との合計額（以下、「税込価額」という。）の全部若しくは一部の返還又はその課税資産の譲渡等の税込価額に係る売掛金その他の債権の額の全部若しくは一部の減額（以下、「売上げに係る対価の返還等」という。）をした場合には、その売上げに係る対価の返還等をした日の属する課税期間の課税標準額に対する消費税額からその課税期間において行った売上げに係る対価の返還等の金額に係る消費税額の合計額を控除する。

2．売上げに係る対価の返還等をした場合の消費税額の控除の趣旨

消費税は預かった消費税から支払った消費税を差し引くことで求めます。

ここで、いったん預かった消費税として計上した金額が、その後、値引き等によって取り消された場合、取り消された部分の預かった消費税を減額しないと納付額が過大に計算されることになります。そのため、値引き等があった場合には値引き等として取り消された部分の消費税額を**控除税額として控除します**[01]。

$$\underset{\text{仕入税額}}{\text{控除対象}} + \underset{\text{等に係る消費税額}}{\text{売上げに係る対価の返還}} + \underset{\text{消費税額}}{\text{貸倒れに係る}} = \text{控除税額小計}$$

> [01] 消費税の税額控除はこれらの4つの税額に係る控除があり、これら4つの税額を合わせて「控除税額小計」を計算します。なお、左記算式には、3つの税額に係る控除しか出ていませんが、その他、特定課税仕入れに係る対価の返還等を受けた場合の消費税額の控除があります。これについては応用編で見ていきます。

2 売上げに係る対価の返還等の範囲

売上げに係る対価の返還等の対象となるものには以下のものがあります。

項目	内容
売上返品・値引き	売上商品が返品されることによる返金、約定違反等により、売上金額の減額をしたもの
売上割戻し （リベート）	一定期間に一定額又は一定量の取引をした取引先に対する代金の一部返戻（リベート）
売上割引[01] （基通14−1−4）	売掛金等が支払期日の前に決済されたことにより取引先に支払うもの

> [01] 会計上は、売上割引は財務費用として扱いますが、消費税法では売上げのマイナス項目として扱います。

3 売上げに係る対価の返還等に係る消費税額

売上げに係る対価の返還等に係る消費税額は、以下の算式に基づいて計算します。

$$\underset{\text{返還等の金額の合計額}}{\text{売上げに係る税込対価の}} \times \frac{7.8}{110}{}^{[01]} = \underset{\text{等に係る消費税額}}{\text{売上げに係る対価の返還}}$$

> [01] 令和元年9月30日以前の売上げに係るものは108分の6.3を乗じます。

4 税額控除の適用を受けられない取引

以下の取引は、消費税が課されないため、そもそも控除すべき税額が含まれていません。そのため、**売上げに係る対価の返還等に係る消費税額の控除の規定を適用しません**[01]。

(1) 輸出免税売上げに係る返還等

(2) 非課税売上げに係る返還等[02]

(3) 不課税売上げに係る返還等[02]

> [01] 売上時に7.8％課税されるものだけが対象になる点に注意しましょう。
>
> [02] 非課税売上げに係る返還等には、例えば土地の譲渡に関する値引きがあります。不課税売上げに係る返還等には、例えば、国外の売上げに関する値引きがあります。

Chapter 8｜売上げに係る対価の返還等Ⅰ 8-3 (107)

設例1−1　売上げに係る対価の返還等に係る消費税額

当課税期間（令和7年4月1日〜令和8年3月31日）の売上返還等3,000,000円（すべて当課税期間の課税売上げに係るもの）の内訳は以下のとおりである。当課税期間の売上げに係る対価の返還等に係る消費税額を計算しなさい。なお、軽減税率が適用される取引は含まれていない。

なお、当社は当課税期間まで継続して課税事業者であり、金額は税込みである。

当課税期間の売上返還等の内訳			
(1)	売上値引	2,000,000円	（国内の販売先に支出した金銭である）
(2)	売上返品	700,000円	（輸出売上げに係るものである）
(3)	売上割戻	300,000円	（国内の取引先のうち上客から生じたものである）

解答　売上げに係る対価の返還等に係る消費税額 　163,090　円

解説　（単位：円）

売上げに係る対価の返還等に該当するものには、売上返品・値引き、売上割戻しがあります。

売上げに係る対価の返還等に係る消費税額の控除は、売上げ時に課税された取引についてのみ対象となります。そのため、不課税取引、非課税取引、免税取引に対しては適用されません。

本問では、(1)売上値引と(3)売上割戻が対象となります。

売上げに係る対価の返還等に係る消費税額

$(2,000,000 + 300,000) \times \dfrac{7.8}{110} = 163,090$

税額は個々に計算するのではなく、いったん合計した後に計算します。

設例1−2　納付税額の計算

次の【資料】により、当課税期間（令和7年4月1日〜令和8年3月31日）の納付税額を求めなさい。なお、金額は税込金額とし、軽減税率が適用される取引は含まれていない。

【資料】

1．課税売上げの合計額：　520,000,000円

2．課税仕入れの合計額：　320,000,000円

3．売上げに係る対価の返還等：　1,200,000円（当課税期間の課税売上げに係るもの）

当社の当課税期間の課税売上割合は98%である。また、当社は、当課税期間まで継続して課税事業者である。

解答　納付税額 　14,096,700　円

解説　（単位：円）

(1) 課税標準額

$520,000,000 \times \dfrac{100}{110} = 472,727,272 \ \rightarrow \ 472,727,000$ （千円未満切捨）

(108)**8-4**

(2) 課税標準額に係る消費税額

$472,727,000 \times 7.8\% = 36,872,706$

(3) 控除対象仕入税額

① 課税売上割合

$98\% \geq 95\%$

② 課税売上高

イ　472,727,272

ロ　$1,200,000 - 1,200,000 \times \dfrac{7.8}{110} \times \dfrac{100}{78} = 1,090,911$

ハ　イ－ロ$= 471,636,361 \leq 500,000,000$

∴　按分計算は不要

③ 控除対象仕入税額

$320,000,000 \times \dfrac{7.8}{110} = 22,690,909$

(4) 売上げに係る対価の返還等に係る消費税額

$1,200,000 \times \dfrac{7.8}{110} = 85,090$

(5) 控除税額小計

$22,690,909 + 85,090 = 22,775,999$

(6) 差引税額

$36,872,706 - 22,775,999 = 14,096,707 \rightarrow 14,096,700$ （百円未満切捨）

(7) 納付税額

14,096,700

　売上げに係る対価の返還等に係る消費税額と控除対象仕入税額とを合計した金額（控除税額小計）を課税標準額に対する消費税額から控除します。

| Try it | 売上げに係る対価の返還等 |

　株式会社甲社は、家具の小売業を営んでいる法人であり、甲社の令和7年4月1日から令和8年3月31日までの当課税期間に関連する取引の状況は、次の【資料】のとおりである。これに基づき、当課税期間における確定申告により納付すべき消費税額をその計算過程を示して計算しなさい。なお、当課税期間の課税売上割合は95%以上であり、課税仕入れ等の税額は全額控除できるものとする。また、甲社は、当課税期間まで継続して課税事業者に該当し、税込経理方式を採用し、軽減税率が適用される取引は含まれていない。

【資料】

1

損 益 計 算 書		（単位：円）
Ⅰ　総　　売　　上　　高	64,000,000	
売 上 値 引 及 び 戻 り 高	700,000	63,300,000
Ⅱ　売　　上　　原　　価		
期 首 商 品 棚 卸 高	12,354,000	
当 期 商 品 仕 入 高	29,463,000	
合　　　　計	41,817,000	
期 末 商 品 棚 卸 高	7,830,000	33,987,000
売　　上　　総　　利　　益		29,313,000
Ⅲ　販売費及び一般管理費		
給　　与　　手　　当	17,218,000	
荷　　造　　運　　送　　費	398,000	
その他の販売費及び一般管理費	3,854,000	21,470,000
営　　業　　利　　益		7,843,000
税 引 前 当 期 純 利 益		7,843,000

2　損益計算書の内容に関して付記すべき事項は、次のとおりである。

　⑴　総売上高：非課税売上げに該当するものは含まれていないが、輸出免税売上高8,000,000円が含まれている。

　⑵　売上値引及び戻り高の内訳は次のとおりである。なお、すべて当課税期間の売上高に係るものである。

　　　売 上 値 引：200,000円（すべて輸出売上げから生じたものである。）

　　　売上戻り高：500,000円（すべて国内売上げから生じたものである。）

　⑶　当期商品仕入高：すべて課税仕入れに該当する。

　⑷　販売費及び一般管理費

　　①　給与手当には、通勤手当180,000円（通常必要と認められるもの）が含まれている。

　　②　荷造運送費は、国内の課税商品の運送に係るものである。

　　③　その他の販売費及び一般管理費のうち3,300,000円が課税仕入れに該当する。

答案用紙

I 課税標準額に対する消費税額の計算

〔課税標準額〕

計　算　過　程		（単位：円）
	金額	円

〔課税標準額に対する消費税額〕

計　算　過　程　（単位：円）	金額	円

II 仕入れに係る消費税額の計算等

〔控除対象仕入税額〕

計　算　過　程		（単位：円）
	金額	円

〔売上げの返還等対価に係る消費税額〕

計　算　過　程　（単位：円）	金額	円

〔控除税額小計〕

計　算　過　程　（単位：円）	金額	円

III 納付税額の計算

〔納付税額〕

計　算　過　程		（単位：円）
	金額	円

Chapter 8 | 売上げに係る対価の返還等 I | *8-7*

解 答

Ⅰ 課税標準額に対する消費税額の計算

〔課税標準額〕

計 算 過 程 （単位：円）		
売上高　　64,000,000−8,000,000＝56,000,000 $56,000,000×\dfrac{100}{110}＝50,909,090 → 50,909,000$ 　　　　　　　　　　　　　　（千円未満切捨）	金額	円 50,909,000

〔課税標準額に対する消費税額〕

計 算 過 程 （単位：円）	金額	円
$50,909,000×7.8\%＝3,970,902$		3,970,902

Ⅱ 仕入れに係る消費税額の計算等

〔控除対象仕入税額〕

計 算 過 程 （単位：円）		
商品仕入29,463,000＋通勤手当180,000＋運送費398,000＋その他3,300,000＝33,341,000 $33,341,000×\dfrac{7.8}{110}＝2,364,180$	金額	円 2,364,180

〔売上げの返還等対価に係る消費税額〕

計 算 過 程 （単位：円）	金額	円
$500,000×\dfrac{7.8}{110}＝35,454$		35,454

〔控除税額小計〕

計 算 過 程 （単位：円）	金額	円
$2,364,180＋35,454＝2,399,634$		2,399,634

Ⅲ 納付税額の計算

〔納付税額〕

計 算 過 程 （単位：円）		
(1) 差引税額 　　$3,970,902−2,399,634＝1,571,268 → 1,571,200$（百円未満切捨） (2) 納付税額 　　1,571,200	金額	円 1,571,200

解 説

1　課税標準額に対する消費税額

　輸出売上高（免税売上げ）には、消費税が含まれていないため、課税標準額の計算に含めない。

2　売上げに係る対価の返還等

　輸出売上げに係る対価の返還等は、消費税が含まれていないため、控除税額の計算においては含めない。

Chapter 9

貸倒れに係る消費税額の控除等Ⅰ

Section 1

貸倒れに係る消費税額

基礎導入編における消費税の税額控除の最後は貸倒れがあった場合の取扱いです。

消費税はChapter1で学習したように、納税義務者である事業者が消費者の代わりに

税金を預かって納付しているため、売上げの代金が貸倒れてしまった場合には売上げ

に係る消費税を事業者が負担していることになってしまい、消費税の本来の考え方に

はそぐわないため、税額控除により調整することとしています。

1 貸倒れの概要

1．貸倒れの意義（法39①）

　　貸倒れとは、売掛金その他の債権に一定の事実が生じたためその**課税資産の譲渡等の税込価額の全部又は一部が領収できなくなったこと**をいいます。

　　ここでいう売掛金その他の債権とは、**課税売上げに対する債権**であり、商品の販売に対する売掛金や、建物や車両等の固定資産を売却した際の未収金等が該当します。

消費税法〈貸倒れに係る消費税額の控除等〉

第39条①　事業者（免税事業者を除く。）が国内において課税資産の譲渡等（輸出免税取引等の規定により消費税が免除されるものを除く。）を行った場合において、その課税資産の譲渡等の相手方に対する売掛金その他の債権につき更生計画認可の決定により債権の切捨てがあったことその他これに準ずるものとして政令で定める事実が生じたため、その課税資産の譲渡等の税込価額の全部又は一部の領収をすることができなくなったときは、その領収をすることができないこととなった日の属する課税期間の課税標準額に対する消費税額から、その領収をすることができなくなった課税資産の譲渡等の税込価額に係る消費税額（その税込価額に110分の7.8を乗じて算出した金額をいう。）の合計額を控除する。

---

(114)**9-2**

2．貸倒れに係る消費税額の控除の趣旨

売掛金等の貸倒れが生じた場合には、**実質的に「対価を得て」という課税の対象の要件**[*01]**を満たさないこととなるため、貸倒れが生じた取引は課税の対象から除かれるべきです。このとき、事業者においては納付すべき消費税額が減少するため、貸倒れに係る消費税額を調整する必要があります。

そのため、貸倒れがあった場合には貸倒れに係る消費税額を控除税額として控除します[*02]。

> 控除対象仕入税額 ＋ 売上げに係る対価の返還等に係る消費税額 ＋ 貸倒れに係る消費税額 ＝ 控除税額小計

*01) 国内取引に係る課税の対象の要件とは、
・国内において行うものであること
・事業者が事業として行うものであること
・対価を得て行われるものであること
・資産の譲渡及び貸付け並びに役務の提供であること
の4要件です。
詳しくはChapter 2を参照して下さい。

*02) 特定課税仕入れに係る対価の返還等を受けた場合の消費税額の控除についても、控除税額の算式に含めることになりますが、応用編で見ていきます。

2 貸倒れに係る消費税額

貸倒れに係る消費税額は、以下の算式に基づいて計算します。

> 貸倒れに係る債権金額の合計額（税込）$\times \dfrac{7.8}{110}$[*01] ＝ 貸倒れに係る消費税額

*01) 令和元年9月30日以前の売上げに係るものは108分の6.3を乗じます。

3 税額控除の適用を受けられない取引

以下の取引は、消費税が課されないため、そもそも控除すべき税額が含まれていません。そのため、これらの売上げに係る債権が貸し倒れても貸倒れに係る消費税額の控除の規定を適用しません。

(1) 輸出免税売上げに係る債権の貸倒れ
(2) 非課税売上げに係る債権の貸倒れ
(3) 不課税売上げに係る債権の貸倒れ

4 貸倒れに係る消費税額の控除の適用時期

貸倒れに係る消費税額は、その**貸倒れが生じた日の属する課税期間**において控除します。前課税期間以前の売上げに係る債権の貸倒れであっても貸倒れが生じたのが当課税期間であれば、当課税期間において貸倒れに係る消費税額の控除を行います。

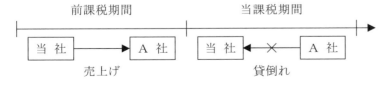

| 設例 1 - 1 | 貸倒れに係る消費税額の控除 |

当課税期間（令和7年4月1日～令和8年3月31日）に貸倒れた債権8,900,000円の内訳は次の【資料】のとおりである。当課税期間の貸倒れに係る消費税額を計算しなさい。

なお、当社は当課税期間まで継続して課税事業者である。また、軽減税率の適用される取引はない。

【資料】

当課税期間の貸倒れ　8,900,000円

内訳：　①当課税期間に行った輸出売上げに係る売掛金　　　　　　1,490,000円

②当課税期間に売却した土地に係る未収金　　　　　　5,000,000円

③当課税期間に行った国内課税売上げに係る売掛金　　2,410,000円

解答

貸倒れに係る消費税額　　$\boxed{170,890}$ 円

解説　（単位：円）

$$2,410,000 \times \frac{7.8}{110} = 170,890$$

⑴　当課税期間に行った輸出売上げに係る売掛金は、輸出免税売上げに係る債権の貸倒れに該当

⑵　当課税期間に売却した土地に係る未収金は、非課税売上げに係る債権の貸倒れに該当

したがって、貸倒れに係る消費税額控除の対象となるのは、当課税期間に行った国内課税売上げに係る売掛金の貸倒れとなる。

Section 2 償却債権取立益に係る消費税額

貸倒れに係る消費税額の控除を行う理由として、売上げに関する債権が貸倒れてしまったことにより、実質的に「対価を得て」いないことがあげられていました。それでは、貸倒れに係る消費税額の控除の対象とした債権が、後日回収された場合には、どのような調整が必要でしょうか？
ここでは、貸倒れとした債権が回収された場合の「償却債権取立益」の取扱いについて見ていきましょう。

1 償却債権取立益に係る消費税額とは（法39③）

貸倒れに係る消費税額の控除の適用を受けた後に、その控除対象となった債権の全部又は一部を回収したときは、その回収金額（**償却債権取立益**）に係る消費税額を「**控除過大調整税額**」として、課税標準額に対する消費税額に**加算**します。

2 控除過大調整税額の処理

1．調整税額の計算

控除過大調整税額は、以下の算式に基づいて計算します。

$$\text{回収した売掛金等の金額の合計額（税込）} \times \frac{7.8}{110}^{*01} = \text{控除過大調整税額}$$

*01) 令和元年9月30日以前の売上げ取引のうち貸倒れ処理したものが回収された場合は、108分の6.3を乗ずることになります。

なお、貸倒れに係る消費税額の控除の場合と同様に、回収した債権が免税取引・非課税取引・不課税取引に係る債権である場合には、控除過大調整税額の加算は行いません。

2．適用時期

控除過大調整税額の処理は、**回収した日の属する課税期間**において行います。

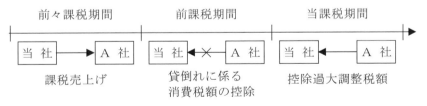

| 設例２−１ | 控除過大調整税額 |

　前課税期間以前に貸倒処理していた債権5,600,000円を当課税期間(令和７年４月１日～令和８年３月31日）に回収した。その内訳は次の【資料】のとおりである。当課税期間の控除過大調整税額を計算しなさい。なお、当社は当課税期間まで継続して課税事業者である。

【資料】

当課税期間の回収額　5,600,000円

　　　　　　内訳：①前課税期間（令和６年４月１日～令和７年３月31日）に貸倒処理していた輸出免税売上げに係る売掛金　　　　　　　　　　　　　　　700,000円

　　　　　　　　　②前々課税期間（令和５年４月１日～令和６年３月31日）に貸倒処理していた前々々課税期間（令和４年４月１日～令和５年３月31日）中の国内課税売上げに係る売掛金　　　　　　　　　　　　　　　　　　400,000円

　　　　　　　　　③前課税期間に貸倒処理していた貸付金　　　　　　　1,500,000円

　　　　　　　　　④前々課税期間に貸倒処理していた建物（居住用）家賃の未収金

　　　　　　　　　　　　　　　　　　　　　　　　　　　　　　　　　3,000,000円

解答

貸倒れ回収に係る消費税額 　28,363　円

解説　(単位：円)

　控除過大調整税額の処理は、回収した日の属する課税期間において行われるため、貸倒処理した時期は関係ありません。

　次に、金銭を貸し付けても、その貸付金には消費税額が含まれておらず、輸出免税取引は係る売掛金にも消費税額が含まれていないため、これらに係る債権である①、③については調整する必要はありません。また、建物（居住用）の貸付け（貸付期間１ヵ月以上）による賃貸料収入は非課税取引のため調整の対象になりません。

　したがって、②が調整の対象となります。

$$400,000 \times \frac{7.8}{110} = 28,363$$

| Try it | 貸倒に係る消費税額の控除 |

　以下の【資料】に基づき、当課税期間（令和7年4月1日～令和8年3月31日）の納付税額を求めなさい。なお、当社は継続して課税事業者であり、当課税期間の課税売上割合は95％以上である。また、課税仕入れ等の税額は全額が控除できるものとする。

【資料】（金額は税込）

1．課税売上高（輸出免税売上げを除く。）　　　　　　　　　　　450,000,000円

2．課税仕入高　　　　　　　　　　　　　　　　　　　　　　　280,000,000円

3．貸倒れ

　⑴　当課税期間に行った国内課税売上げに係る売掛金　　　　　13,200,100円

　⑵　当課税期間に貸し付けた貸付金　　　　　　　　　　　　　　3,000,000円

4．償却債権取立益

　⑴　前々課税期間に貸倒処理していた売掛金　　　　　　　　　15,000,000円

　　（注）　令和元年7月の売上げに係るものである。

　⑵　前課税期間に貸倒処理していた貸付金　　　　　　　　　　　5,000,000円

5．中間納付税額　　　　　　　　　　　　　　　　　　　　　　　3,000,000円

6．軽減税率が適用される取引は含まれていない。

答案用紙

I 課税標準額に対する消費税額の計算

〔課税標準額〕

計　算　過　程		（単位：円）
	金額	円

〔課税標準額に対する消費税額〕

計　算　過　程	（単位：円）	金額	円

〔控除過大調整税額〕

計　算　過　程	（単位：円）	金額	円

II 仕入れに係る消費税額の計算等

〔控除対象仕入税額〕

計　算　過　程	（単位：円）	金額	円

〔貸倒れに係る消費税額〕

計　算　過　程	（単位：円）	金額	円

〔控除税額小計〕

計　算　過　程	（単位：円）	金額	円

III 納付税額の計算

〔納付税額〕

計　算　過　程		（単位：円）
	金額	円

解答

I 課税標準額に対する消費税額の計算

〔課税標準額〕

計　算　過　程 （単位：円）	金額	円
$450,000,000 \times \dfrac{100}{110} = 409,090,909 \rightarrow 409,090,000$ （千円未満切捨）		409,090,000

〔課税標準額に対する消費税額〕

計　算　過　程 （単位：円）	金額	円
$409,090,000 \times 7.8\% = 31,909,020$		31,909,020

〔控除過大調整税額〕

計　算　過　程 （単位：円）	金額	円
$15,000,000 \times \dfrac{6.3}{108} = 875,000$		875,000

II 仕入れに係る消費税額の計算等

〔控除対象仕入税額〕

計　算　過　程 （単位：円）	金額	円
$280,000,000 \times \dfrac{7.8}{110} = 19,854,545$		19,854,545

〔貸倒れに係る消費税額〕

計　算　過　程 （単位：円）	金額	円
$13,200,100 \times \dfrac{7.8}{110} = 936,007$		936,007

〔控除税額小計〕

計　算　過　程 （単位：円）	金額	円
$19,854,545 + 936,007 = 20,790,552$		20,790,552

III 納付税額の計算

〔納付税額〕

計　算　過　程 （単位：円）	金額	円
(1) 差引税額 　　$31,909,020 + 875,000 - 20,790,552 = 11,993,468 \rightarrow 11,993,400$ （百円未満切捨） (2) 納付税額 　　$11,993,400 - 3,000,000 = 8,993,400$		8,993,400

Chapter 9 | 貸倒れに係る消費税額の控除等 I | **9-9**

解 説

　差引税額の計算において「貸倒れに係る消費税額」及び「控除過大調整税額」がどのように取り扱われるかを確認しましょう。「貸倒れに係る消費税額」は「控除対象仕入税額」と合計し、「控除税額小計」として「課税標準額に対する消費税額」から控除します。一方、「控除過大調整税額」は「課税標準額に対する消費税額」に加算します。

　また、貸倒れ・償却債権取立益の各項目が調整の対象となるか否かを見極めることがポイントです。非課税取引・免税取引から生じた債権は控除又は調整の対象とならない点に注意しましょう。

(1)　貸倒れに係る消費税額

　①　当課税期間に行った国内課税売上げに係る売掛金

　　　課税取引に係る貸倒れであるため、税額控除の対象となります。

　②　当課税期間に貸し付けた貸付金

　　　貸付金の貸付けは不課税取引に該当するため、税額控除の対象となりません。

(2)　控除過大調整税額

　①　前々課税期間に貸倒処理していた売掛金

　　　課税取引に係るものであるため、調整の対象となります。

　②　前課税期間に貸倒処理していた貸付金

　　　不課税取引となるため、調整の対象となりません。

(122) **9-10**

Chapter 10

仕入れに係る対価の返還等 I

Section 1 仕入れに係る対価の返還等

Chapter 7で仕入れに係る消費税額の控除の規定を学習しましたが、課税仕入れとして税額控除の対象とした仕入れに関し、返品や値引き、割戻し等が行われた場合にはどのような調整を行ったらよいのでしょうか？

ここでは、課税仕入れに関する返品や値引き、割戻し等が行われた場合の仕入税額控除の特例を見ていきましょう。

1 仕入れに係る対価の返還等の概要

1. 仕入れに係る対価の返還等の意義（法32①）*01

*01) 売上げに係る対価の返還等の逆の立場をイメージして下さい。なお、特定課税仕入れについては、応用編で見ていきます。

仕入れに係る対価の返還等とは、事業者が国内において行った課税仕入れ（特定課税仕入れについては省略します。）につき**返品をし、又は値引き若しくは割戻しを受けた**ことにより、その課税仕入れに係る支払対価の額の全部若しくは一部の返還又はその課税仕入れに係る支払対価の額に係る買掛金等の全部若しくは一部の減額をいいます。

すなわち、課税仕入れに対し、返品等の事由により、その仕入代金の返金を受けたり、その仕入代金に係る債務の減額を受けた場合のその**返金額や減額された債務の額**のことを指します。

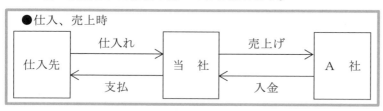

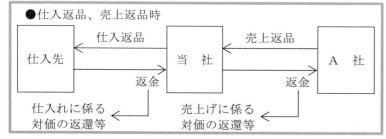

2. 仕入れに係る対価の返還等を受けた場合の消費税額の控除の趣旨

納付する消費税は預かった消費税から支払った消費税を差し引くことで求めます。ここで、支払った消費税は仕入税額控除という形で納付税額の計算上差し引かれますが、返品や値引き等が生じた場合には仕入れのマイナスとして取り扱われるため、その分だけ支払った消費税を減額しないと納付税額が過少に計上されてしまいます。

そのため、返品や値引き等があった場合には「**仕入れに係る対価の返還等**」として、そのマイナスとなる部分の消費税額を**課税仕入れ等の税額から控除**して仕入れに係る消費税額を計算します。

消費税法〈仕入れに係る対価の返還等を受けた場合の仕入れに係る消費税額の控除の特例〉

第32条① 事業者が、国内において行った課税仕入れ又は特定課税仕入れにつき、返品をし、又は値引き若しくは割戻しを受けたことにより、その課税仕入れに係る支払対価の額若しくはその特定課税仕入れに係る支払対価の額の全部若しくは一部の返還又はその課税仕入れに係る支払対価の額若しくはその特定課税仕入れに係る支払対価の額に係る買掛金その他の債務の額の全部若しくは一部の減額（以下この条において「仕入れに係る対価の返還等」という。）を受けた場合には、一定の金額をその仕入れに係る対価の返還等を受けた日の属する課税期間における課税仕入れ等の税額の合計額とみなして、仕入れに係る消費税額の控除の規定を適用する。

2 仕入れに係る対価の返還等の範囲

仕入れに係る対価の返還等の対象となるものには以下のものがあります。

項目	内容
仕入返品・値引き	仕入れた商品を返品することによる返金、約定違反等により仕入金額の減額を受けたもの
仕入割戻し （リベート）	一定期間に一定額又は一定量の取引をした仕入先からの代金の一部返戻（リベート）
仕入割引[01] （基通12－1－4）	買掛金等を支払期日よりも前に決済したことにより取引先から支払いを受けるもの

*01) 簿記上、仕入割引は財務収益として取り扱いますが、消費税法では仕入れのマイナス項目として取り扱います。

3 仕入れに係る対価の返還等に係る消費税額

仕入れに係る対価の返還等に係る消費税額は、以下の算式に基づいて計算します。

$$\text{仕入れに係る税込対価の返還等の金額の合計額} \times \frac{7.8}{110}^{*01} = \text{仕入れに係る対価の返還等に係る消費税額}$$

*01) 令和元年9月30日以前の課税仕入れに係るものは108分の6.3となります。

ただし、仕入税額控除の章[02]で確認したように当課税期間の課税売上割合や、課税売上高に応じ、以下のように控除対象仕入税額を計算します。

*02) Chapter 7 を参照して下さい。

Chapter 10 | 仕入れに係る対価の返還等 I | *10-3* （125）

1．課税売上割合が95％以上かつ課税売上高が5億円以下の場合

当課税期間の課税売上割合が95％以上かつ課税売上高が5億円以下の場合は、課税仕入れ等の税額を全額控除できるため、**仕入れに係る対価の返還等に係る消費税額も全額差し引きます**。

$$課税仕入れ等の税額の合計額 - 仕入れ等に係る対価の返還等に係る消費税額 = 控除対象仕入税額$$

2．上記以外の場合（個別対応方式による場合）

課税仕入れ等の税額のうち、課税資産の譲渡等にのみ要する課税仕入れ等の税額は、全額が税額控除の対象となるため、仕入れに係る対価の返還等に係る消費税額も**全額差し引きます**。また、共通して要する課税仕入れ等の税額は、課税売上割合を乗じた部分のみが税額控除の対象となるため、仕入れに係る対価の返還等に係る消費税額も**課税売上割合を乗じた部分のみを差し引きます**。

$$\underbrace{課税資産の譲渡等にのみ要する課税仕入れ等の税額の合計額}_{A} - \underbrace{課税資産の譲渡等にのみ要する仕入れに係る対価の返還等に係る消費税額}_{A'} = Ⓐ$$

$$\underbrace{共通して要する課税仕入れ等の税額の合計額 \times 課税売上割合}_{B} - \underbrace{共通して要する仕入れに係る対価の返還等に係る消費税額 \times 課税売上割合}_{B'} = Ⓑ$$

$$Ⓐ + Ⓑ = 控除対象仕入税額$$

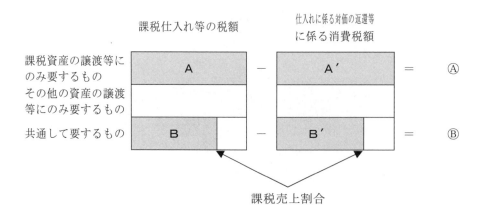

4 税額控除の適用を受けられない取引に係る返還等

以下の取引は、課税仕入れとならないため、そもそも控除すべき税額がありません。そこで、仕入れに係る対価の返還等に係る消費税額の控除の特例の規定を適用しません[*01]。

- ・免税仕入れに係る返還等
- ・非課税仕入れに係る返還等
- ・不課税仕入れに係る返還等

*01) 仕入時に課税されたものだけが対象になる点に注意しましょう。

5 仕入れに係る対価の返還等の適用時期

仕入れに係る対価の返還等に係る消費税額は、**仕入れに係る対価の返還等を受けた日の属する課税期間**における課税仕入れ等の税額から差し引きます。

そのため、当課税期間に返還等を受けていれば前課税期間以前の仕入れに係るものでも、当課税期間に仕入れに係る対価の返還等に係る消費税額の控除の特例規定を適用します[*01]。

*01) 実際に返品した時に仕入返還等の処理をします。

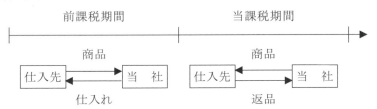

| 設例 1 - 1 | 控除対象仕入税額の計算(1) |

次の【資料】により、当課税期間（令和7年4月1日〜令和8年3月31日）の控除対象仕入税額を求めなさい。

なお、当社は当課税期間まで継続して課税事業者であり、当課税期間の課税売上割合は80%である。

【資料】（金額は税込金額であり、軽減税率が適用されるものは含まれていない。）

(1) 課税仕入れ

課税資産の譲渡等にのみ要するもの	4,000,000円
その他の資産の譲渡等にのみ要するもの	250,000円
共通して要するもの	3,000,100円

(2) 課税仕入れの返還等（当課税期間の課税仕入れに係るもの）

課税資産の譲渡等にのみ要するもの	80,000円

解答

| 控除対象仕入税額 | 448,151 | 円 |

解説 （単位：円）

控除対象仕入税額

(1) 課税売上割合

80% ＜ 95%　　∴　按分計算が必要

(2) 区分経理及び税額

① 課税資産の譲渡等にのみ要するもの

イ 課税仕入れ

$$4,000,000 \times \frac{7.8}{110} = 283,636$$

ロ 仕入返還等

$$80,000 \times \frac{7.8}{110} = 5,672$$

② その他の資産の譲渡等にのみ要するもの

$$250,000 \times \frac{7.8}{110} = 17,727$$

③ 共通して要するもの

$$3,000,100 \times \frac{7.8}{110} = 212,734$$

(3) 控除対象仕入税額

$$(283,636 - 5,672) + 212,734 \times 80\% = 448,151$$

| 設例1－2 | 控除対象仕入税額の計算⑵ |

次の【資料】により、当課税期間（令和7年4月1日～令和8年3月31日）の控除対象仕入税額を求めなさい。

なお、当社は当課税期間まで継続して課税事業者であり、当課税期間の課税売上割合は80%である。

【資料】（金額は税込金額であり、軽減税率が適用されるものは含まれていない。）

(1) 課税商品の国内仕入高　　　　　　　　　　　　43,000,100円

(2) 販売費及び一般管理費　　　　　　　　　　　　30,000,000円

　　上記金額には、課税仕入れに係るものがそれぞれ課税資産の譲渡等にのみ要するもの14,000,000円、その他の資産の譲渡等にのみ要するもの800,000円、共通して要するもの7,200,100円が含まれており、残額は課税仕入れに該当するものではない。

(3) 仕入割戻（当課税期間の課税仕入れに係るもの）　900,100円

　　上記金額は、すべて課税仕入れに係るものであり、課税資産の譲渡等にのみ要するものである。

| 解答 | 控除対象仕入税額 | 4,386,441 | 円 |

| 解説 | （単位：円）

控除対象仕入税額

(1) 課税売上割合

　　80% ＜ 95%　　∴　按分計算が必要

(2) 区分経理及び税額

　① 課税資産の譲渡等にのみ要するもの

　　イ 課税仕入れ

　　　　$43,000,100 + 14,000,000 = 57,000,100$

　　　　$57,000,100 \times \dfrac{7.8}{110} = 4,041,825$

　　ロ 仕入返還等

　　　　$900,100 \times \dfrac{7.8}{110} = 63,825$

　② その他の資産の譲渡等にのみ要するもの

　　　$800,000 \times \dfrac{7.8}{110} = 56,727$

　③ 共通して要するもの

　　　$7,200,100 \times \dfrac{7.8}{110} = 510,552$

(3) 控除対象仕入税額

　　$(4,041,825 - 63,825) + 510,552 \times 80\% = 4,386,441$

Chapter 10｜仕入れに係る対価の返還等Ⅰ｜ **10-7**

| Try it | 仕入れに係る対価の返還等 |

次の【資料】に基づいて、当社の令和7年4月1日から令和8年3月31日までの課税期間（当課税期間）の控除対象仕入税額を求めなさい。

なお、計算にあたっては、次の事項を前提とすること。

⑴　当社は、当課税期間まで継続して課税事業者である。

⑵　会計帳簿における経理処理については、税込経理方式を採用している。

⑶　課税仕入れ等の税額の控除に係る帳簿及び請求書等は法令に従って保存されている。

⑷　控除対象仕入税額の計算は、個別対応方式により行うものとする。

⑸　軽減税率が適用される取引は含まれていない。

【資料】

⑴　当社の当課税期間における課税売上割合は70％である。

⑵　課税仕入れ　　　　　　　　　　　　　　　　　　　　　65,457,979円

　　国内課税仕入れに係るものであり、この内訳は次のとおりである。

　　課税資産の譲渡等にのみ要するもの36,415,238円、その他の資産の譲渡等にのみ要するもの360,200円及び共通して要するもの28,682,541円の合計額である。

⑶　仕入値引等（すべて当課税期間の課税仕入れ等に係るものであり、課税資産の譲渡等にのみ要するものである。）　　　　　　　　　　　　　　　　　　　　　　　1,395,200円

答案用紙

計　算　過　程	（単位：円）
金額	円

Chapter 10 | 仕入れに係る対価の返還等Ⅰ | *10-9*

解答

計　算　過　程	（単位：円）

(1)　課税売上割合

　　　70% ＜ 95%　　∴按分計算が必要

(2)　区分経理及び税額

　　①　課税資産の譲渡等にのみ要するもの

　　　イ　課税仕入れ

$$36,415,238 \times \frac{7.8}{110} = 2,582,171$$

　　　ロ　仕入返還等

$$1,395,200 \times \frac{7.8}{110} = 98,932$$

　　②　その他の資産の譲渡等にのみ要するもの

$$360,200 \times \frac{7.8}{110} = 25,541$$

　　③　共通して要するもの

$$28,682,541 \times \frac{7.8}{110} = 2,033,852$$

(3)　控除対象仕入税額

$$(2,582,171 - 98,932) + 2,033,852 \times 70\% = 3,906,935$$

金額	円
	3,906,935

解説

　仕入返還等の範囲には、仕入値引・割戻し・返品等が含まれます。

Chapter 11

簡易課税制度Ⅰ

Section 1 簡易課税制度の概要

これまで学習してきた仕入れに係る消費税額の控除の計算は、取引のうち課税仕入れに該当するものを抜き出し、さらに３つの区分に区分経理を行い…と、とても複雑で難しい計算を行ってきました。

消費税の納税義務者には様々な規模の事業者がおり、この複雑な計算を行えない事業規模の事業者に対し、この方法による申告・納付を求めることは困難といえます。

これから学習する簡易課税制度は、そんな事業規模が比較的小さな事業者に着目した特例です。

1 簡易課税制度とは

1. 簡易課税制度[*01]

仕入れに係る消費税額を計算する場合、事業者の課税期間における課税仕入れ等をもとに複雑な計算が行われます。これは、規模の小さな中小事業者にとって煩雑な事務手続となります。

そこで、消費税法では一定規模以下の中小事業者に対しては、これまで学習した原則的な仕入れに係る消費税額の計算方法に代えて、**課税標準額に対する消費税額のみから割合計算により仕入れに係る消費税額を計算できる簡易課税制度**を認めています。

> [*01] 条文のタイトルは、「中小事業者の仕入れに係る消費税額の控除の特例」となっていますが、一般的に簡易課税制度と呼ばれています。

2. 簡易課税制度の考え方

簡易課税制度では、仕入れに係る消費税額を、「課税標準額に対する消費税額」のみから計算します。具体的には、**課税標準額に対する消費税額に業種ごとに定められている「みなし仕入率」という率を乗じて計算**します。

このみなし仕入率とは、業種ごとの原価率のイメージです。

したがって、今まで行ってきた原則の仕入れに係る消費税額の計算が、日々の仕入れを取引ごとに記帳し、売上原価を求める「三分法」の原価計算のイメージであるのに対し、簡易課税制度は、売上高に原価率を乗じて売上原価を求める「売価還元法」による原価計算のイメージとなります。

(134) 11-2

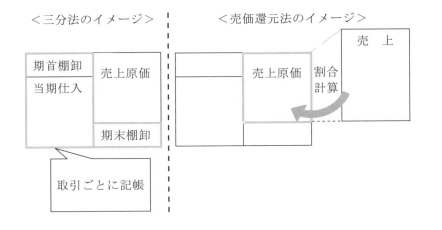

2 簡易課税制度の適用要件

1．適用要件（法37①）

課税事業者が、原則として以下の要件を２つとも満たした場合に簡易課税制度を適用することができます。

> ① 前課税期間末日までに「簡易課税制度選択届出書」[*01]を提出している。
> ② 基準期間における課税売上高が5,000万円以下である。

*01）正式な名称は「消費税簡易課税制度選択届出書」です。

なお、簡易課税制度の適用が認められた場合には、**原則的な仕入税額控除の計算を行うことはできなくなります**[*02]。

*02）仮に、原則的な計算の方が納付税額が少なくなるとしても、簡易課税制度によって計算しなければなりません。

設例1-1　　　　　　　　　　　　　　　　　　　　　　　　　簡易課税制度適用の判定

当社の当課税期間の納税義務の有無の判定及び簡易課税制度の適用の有無の判定を行いなさい。なお、消費税簡易課税制度選択届出書については、前課税期間中に所轄税務署長に提出している。
また、基準期間における課税売上高は48,300,000円であった。

解答
(1) 納税義務の有無の判定
　　48,300,000円 ＞ 10,000,000円　　∴　納税義務あり
(2) 簡易課税制度の適用の有無の判定
　　① 消費税簡易課税制度選択届出書の提出あり
　　② 48,300,000円 ≦ 50,000,000円　　∴　簡易課税制度の適用あり

解説
簡易課税制度選択届出書の提出がある旨が問題文に記載されているときは、下記の適用の有無の判定を行います。
① 前課税期間末日までに「消費税簡易課税制度選択届出書」を提出している。
② 基準期間における課税売上高が5,000万円以下である。
　このうち、②については納税義務の有無の判定と混同しないようにしましょう。納税義務の有無の判定における基準期間における課税売上高は1,000万円以下か否かです。

3 控除対象仕入税額の計算

1. 控除対象仕入税額の計算式

簡易課税制度を適用する場合、控除対象仕入税額は以下のように計算します。なお、特定課税仕入れについては、応用編で見ていきます。

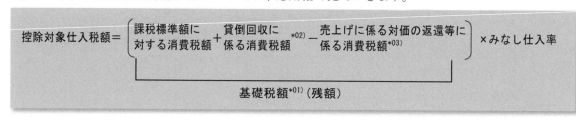

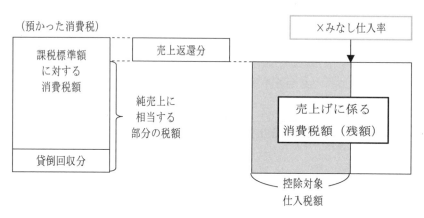

*01) この教科書では「基礎税額」と呼んでいきます。

*02) 貸倒回収に係る消費税額は、控除過大調整税額として「課税標準額に対する消費税額」とみなされるため、みなし仕入率の計算でも加算します。

*03) 原価計算でいうところの「純売上高」に原価率を乗じるイメージです。そのため、返品や値引などに係る税額である売上げに係る対価の返還等に係る消費税額を控除します。

上記の計算式のうち、みなし仕入率以外の項目は、すべてこれまでに学習したものです。したがって、簡易課税制度の論点では、**みなし仕入率の計算がポイントとなります**。

次のSection以降では、みなし仕入率の求め方を中心に詳しく学習していきましょう。

| 設例1−1 | 簡易課税制度における控除対象仕入税額の計算 |

次の【資料】から、小売業を営む当社の当課税期間（令和7年4月1日〜令和8年3月31日）における納付税額を計算しなさい。なお、当課税期間においては簡易課税制度が適用されるものとし、みなし仕入率は80%とする。また、当社は税込経理方式を採用しており、設立以来課税事業者に該当する。

【資料】

(1) 課税売上高（すべて小売業による売上げ）　　　34,000,000円

(2) 当課税期間の売上げに係る対価の返還等　　　　800,000円

　　（当課税期間の課税売上げに係るものである。）

(注) 軽減税率が適用される取引は含まれていない。

| 解答 | 納付税額 | 470,800 | 円 |

解説 （単位：円）

(1) 課税標準額

$34,000,000 \times \dfrac{100}{110} = 30,909,090 \rightarrow 30,909,000$ （千円未満切捨）

(2) 課税標準額に対する消費税額

$30,909,000 \times 7.8\% = 2,410,902$

(3) 売上げに係る対価の返還等に係る消費税額

$800,000 \times \dfrac{7.8}{110} = 56,727$

(4) 控除対象仕入税額

$(2,410,902 - 56,727) \times 80\% = 1,883,340$

(5) 控除税額小計

$56,727 + 1,883,340 = 1,940,067$

(6) 差引税額

$2,410,902 - 1,940,067 = 470,835 \rightarrow 470,800$ （百円未満切捨）

(7) 納付税額

$470,800$

2．仕入れに係る消費税額の控除に関する適用関係

　　簡易課税制度を適用する場合には、原則の仕入れに係る消費税額の規定は適用されません。

　　仕入れに係る対価の返還等（法32）などの仕入れに関する規定（次ページ参照）は、すべて原則の仕入れに係る消費税額の計算を行っていることが前提となっているため、**簡易課税制度を適用する場合には、これらの規定はすべて適用されない**こととなります。

　　なお、他の税額控除の規定（売上げに係る対価の返還等に係る消費税額の控除や貸倒れに係る消費税額の控除）は、仕入れに係る消費税額の控除とは無関係なため、**簡易課税制度を採用した場合でも適用されます**。

Chapter 11 | 簡易課税制度 I | **11-5**

控除対象仕入税額	*01)	原則課税	簡易課税
		仕入れに係る消費税額の控除（法30）	（法37）

*01)「控除対象仕入税額」について「原則」か「簡易」かを選択します。

原則課税

- 仕入れに係る消費税額の控除（法30）
- 非課税資産の輸出（法31）
- 資産の国外移送（法31）
- 仕入れに係る対価の返還等（法32）
- 引取りに係る消費税額の還付（法32）
- 課税売上割合の著しい変動（法33）
- 調整対象固定資産の転用（法34）（法35）
- 居住用賃貸建物を課税賃貸用に供した場合等（法35の2）
- 棚卸資産に係る消費税額の調整（法36）
- 国、地方公共団体等の特例（法60）

簡易課税

（法37）

他の控除税額

- 売上げに係る対価の返還等をした場合の消費税額の控除（法38）
- 特定課税仕入れに係る対価の返還等を受けた場合の消費税額の控除（法38の2）
- 貸倒れに係る消費税額の控除（法39）

Section 2 みなし仕入率

簡易課税の計算にあたり、最も重要となるのは、みなし仕入率の算定です。

「簡易」という名称がついていますが、少し複雑な計算をしていきますので、計算の意味をしっかりと理解しながら見ていきましょう。

また、業種ごとに様々な特徴がありますので、細かい点までしっかり確認しましょう。

1 みなし仕入率（令57①⑤、基通13－2－1）

消費税法では、6つの業種に区分し、それぞれにみなし仕入率を定めています。業種の区分とそれに対応するみなし仕入率は次のとおりです。

区　分	内　容	みなし仕入率
第一種事業	卸売業	90%
第二種事業	(1)小売業 (2)農業・林業・漁業（飲食料品の譲渡を行う部分に限る。）	80%
第三種事業	(1)農業・林業・漁業（第二種事業以外） (2)建設業・製造業　他	70%
第四種事業	第一種から第三種、第五種、第六種以外の事業 例）飲食店業、事業用固定資産の売却	60%
第五種事業	運輸通信業、金融保険業、サービス業（飲食店業以外）	50%
第六種事業	不動産業（第一種から第三種、第五種以外）	40%

なお、事業区分の分類は、原則としてその事業者が行うすべての売上げに対して共通して適用される訳ではなく、**事業者が行う課税資産の譲渡等（課税売上げ）ごとに**行います。

2 各事業区分の詳細

1．第一種事業と第二種事業

第一種事業には卸売業が、**第二種事業**には小売業が該当します。

どちらも、他の者から購入した商品をその**性質及び形状を変更しない**[*01]で販売する事業である点は共通しています。

しかし、第一種事業は**他の事業者に対して**販売する事業であると規定されているのに対し、第二種事業は第一種事業に該当しない事業、すなわち通常は**消費者に対して**販売[*02]する事業である点が異なります。

なお、ここでいう卸売業や小売業とは、この要件に当てはまる場合をいうので、卸売業者や小売業者でない事業者（例えばサービス業を行う者）が、これらの販売をした場合でも第一種事業又は第二種事業に分類します。

*01) 性質や形状を変更しない程度の行為には、例えば箱詰め等を行う行為等が該当します。

*02) 第二種事業は、性質及び形状を変更しないで販売する事業で、他の事業者に販売する第一種事業に該当しないケースなので、例えば自動販売機での商品の売上げのように「不特定の者」に販売する場合も含まれます。

Chapter 11 | 簡易課税制度 I | **11-7** （139）

2．第三種事業（基通13－2－5、13－2－6）

第三種事業として具体的に列挙されている事業は、次のとおりです。

①農業　　②林業　　③漁業　　④鉱業　　⑤建設業

⑥製造業（製造した棚卸資産を小売する事業を含む）*03)

⑦電気業、ガス業、熱供給業及び水道業

⑧新聞・書籍等の発行、出版事業

卸売業・小売業は仕入れた物品の加工を行わないことを前提としているため、卸売業（他の事業者に販売する事業）や小売業（消費者等に対して販売する事業）であっても、**加工を伴う事業（製造小売業*04)等）であれば第三種事業に該当します。**

*03) 製造業のうち加工賃その他の料金を対価とする役務の提供（材料の支給を受けて加工のみを行う場合）は、第四種事業に該当します。

3．第五種事業（基通13－2－4）

第五種事業は、**運輸通信業、金融保険業、サービス業（飲食店業を除く*05)）** のうち、第一種から第三種事業（卸売業、小売業、製造業等）に該当しない事業をいいます。

なお、第五種事業に該当する事業には、次のような事業が該当します*06)。

①情報通信業　②運輸業、郵便業　③不動産業、物品賃貸業

④学術研究、専門・技術サービス業*07)　⑤宿泊業

⑥生活関連サービス業、娯楽業　⑦教育、学習支援業

⑧医療、福祉　⑨複合サービス事業　⑩金融業、保険業*08)

⑪他に分類されないサービス業

*04) 製造小売業とは、パン屋さんやケーキ屋さんがお店でパンやケーキを焼いて販売するケースや、精肉店がお店で揚げたコロッケを販売するケースのように、工場をもたずに店舗で直接製造を行い、販売する事業をいいます。

*05) 飲食店業は第四種事業の代表例の1つです。

*06) 総務省が公表している日本標準産業分類の大分類を判定の基礎にしています。

*07) 皆さんの目指す税理士業は専門サービス業に該当しますので、第五種事業に区分されます。

*08) 保険業は保険代理店業が該当します。

4．第六種事業

第一種から第三種、第五種以外の不動産業をいいます。

5．第四種事業（基通13－2－7、13－2－8の3、13－2－9）

第四種事業は第一種事業、第二種事業、第三種事業、第五種事業、第六種事業のどれにも該当しない事業が該当し、例えば次のような事業が該当します。

①飲食店業　　②事業用固定資産の売却　　③材料の支給を受けて外注加工を行う事業等*09)

*09) 第四種事業は、第一種事業から第三種事業までと第五種事業、第六種事業に該当しない事業という定義のため、他の5つの事業に当てはまらないものが消去法的に第四種事業に該当するものとされます。ただし、受験上は、すべての業種を押さえることは不可能であるため、ここに例示されているもののみ第四種事業に該当するものと押さえておきましょう。

設例2－1 　　　　　　　　　　　　　　　　　　　　　　　　　　　　　　　事業区分の判定

　それぞれに掲げる課税資産の譲渡等について、該当する事業区分を答えなさい。

⑴　ハンカチの小売業を営む事業者が、ハンカチを消費者に販売した際の売上高

⑵　不動産業を営む事業者が、所有するビルを他の事業者に賃貸した際の売上高

⑶　卸売業を営む事業者が、商品を他の事業者へ販売した際の売上高

⑷　飲食店業を営む事業者が、店内で飲食物を提供した際の売上高

⑸　小売業を営む事業者が、不要になった備品を売却することによる売却収入

解答

⑴	第二種事業
⑵	第六種事業
⑶	第一種事業
⑷	第四種事業
⑸	第四種事業

解説

⑴　仕入れた物品を加工せずに一般消費者へ販売する小売業は、第二種事業に該当します。

⑵　不動産業は、第六種事業に該当します。

⑶　仕入れた物品を加工せずに他の事業者へ販売する卸売業は、第一種事業に該当します。

⑷　サービス業のうち飲食店業については、第四種事業に該当します。

⑸　事業用固定資産の売却は、第四種事業に該当します。

＜物品を販売する事業のまとめ＞

		商品の性質及び形状の変更の有無	
		変更しない	変更する*10)
販売相手	他の事業者	第一種事業	第三種事業
	主に消費者 （他の事業者以外）	第二種事業	

*10) 商品の性質及び形状を変更する場合は、販売相手にかかわらず第三種事業に該当します。

Chapter 11｜簡易課税制度Ⅰ｜**11-9**　（141）

Section

3 2以上の事業を行っている場合のみなし仕入率

これまで学習したみなし仕入率は、事業者の課税売上げの区分ごとに定められています。しかし、この事業の分類は多岐にわたり、1人の事業者が1つの事業のみを行っているとは限りません。

ここでは、事業者が2以上の事業を営んでいる場合にみなし仕入率をどのように計算したらよいのかを見ていきましょう。

1 原 則

1．考え方（令57②）

簡易課税制度を適用している事業者は、課税資産の譲渡等に該当する各取引を、6つの区分に分類します。多くの事業者は2つ以上の事業を行っていることになります。

例えば、卸売業を営む事業者は、基本的に第一種事業に分類される取引が多くを占めますが、消費者に対しても販売していればその取引は第二種事業に該当しますし、期中に事業用固定資産を売却していれば、その取引は第四種事業に該当します。

このような事業者のみなし仕入率は、原則として、**それぞれの課税売上げに対応する事業区分ごとのみなし仕入率を、全体の課税売上げに対する割合に応じて加重平均させた数値**とします。

*01) 端数処理に関する規定がないため、割り切れないときはそのまま乗じます。

*02) 各事業ともこの段階で端数が生じた場合、一旦切り捨てます。

$$\text{みなし仕入率}^{*01)} = \frac{A \times 90\%^{*02)} + B \times 80\% + C \times 70\% + D \times 60\% + E \times 50\% + F \times 40\%}{A + B + C + D + E + F}$$

A…第一種事業の課税売上げに係る消費税額

B…第二種事業の課税売上げに係る消費税額

C…第三種事業の課税売上げに係る消費税額

D…第四種事業の課税売上げに係る消費税額

E…第五種事業の課税売上げに係る消費税額

F…第六種事業の課税売上げに係る消費税額

$$\begin{array}{l}\text{各事業の課税売上げ}^{*03)} \\ \text{に係る消費税額}\end{array} = \begin{array}{l}\text{各事業の} \\ \text{課税売上げ}\end{array} \times \frac{7.8}{110} - \begin{array}{l}\text{各事業の売上げに} \\ \text{係る対価の返還等}\end{array} \times \frac{7.8}{110}$$

*03) 各事業の課税売上げに係る消費税額を求める際には、基礎税額の計算と異なり貸倒れ回収に係る消費税額を考慮しない額で計算します。

(142) 11-10

設例3−1 みなし仕入率の計算

以下に示した各事業区分の課税売上げに係る消費税額から、みなし仕入率を計算しなさい。

	課税売上げに係る消費税額
第一種事業	290,000円
第二種事業	480,000円
第三種事業	360,000円
第四種事業	550,000円
第五種事業	120,000円
第六種事業	200,000円
合計	2,000,000円

解答　みなし仕入率　　　0.6835

解説　（単位：円）

$$\frac{290,000 \times 90\% + 480,000 \times 80\% + 360,000 \times 70\% + 550,000 \times 60\% + 120,000 \times 50\% + 200,000 \times 40\%}{2,000,000}$$

$$= \frac{1,367,000}{2,000,000} = 0.6835$$

設例3−2 2以上の事業を行っている場合（原則）

以下の【資料】から、当課税期間（令和7年4月1日〜令和8年3月31日）における納付税額を計算しなさい。なお、当社の当課税期間は、簡易課税制度が適用されるものとする。また、当社は税込経理方式を採用し、軽減税率の適用を受ける取引は行っていない。

【資料】

1．卸売業の課税売上高　　　10,000,000円（うち、返品・値引等500,000円）

2．飲食店業の課税売上高　　20,000,000円（うち、返品・値引等900,000円）

（注）　返品・値引等は、当課税期間の課税売上げに係るものである。

解答　納付税額　　　609,000　円

解説　（単位：円）

(1) 課税標準額

10,000,000 + 20,000,000 = 30,000,000

$30,000,000 \times \dfrac{100}{110} = 27,272,727 \rightarrow 27,272,000$（千円未満切捨）

(2) 課税標準額に対する消費税額

$27,272,000 \times 7.8\% = 2,127,216$

(3) 売上げに係る対価の返還等に係る消費税額

500,000 + 900,000 = 1,400,000

$1,400,000 \times \dfrac{7.8}{110} = 99,272$

Chapter 11｜簡易課税制度Ⅰ｜**11-11**（143）

(4) 業種別消費税額

① 第一種事業

イ $10,000,000 \times \dfrac{7.8}{110} = 709,090$

ロ $500,000 \times \dfrac{7.8}{110} = 35,454$

ハ イーロ＝673,636

② 第四種事業

イ $20,000,000 \times \dfrac{7.8}{110} = 1,418,181$

ロ $900,000 \times \dfrac{7.8}{110} = 63,818$

ハ イーロ＝1,354,363

③ ①＋②＝2,027,999

(5) 控除対象仕入税額

① 基礎税額

2,127,216－99,272＝2,027,944

② 控除対象仕入税額

$2,027,944 \times \dfrac{673,636 \times 90\%^{*01)} + 1,354,363 \times 60\%^{*02)}}{2,027,999} = 1,418,850$

(6) 控除税額小計

1,418,850＋99,272＝1,518,122

(7) 差引税額

2,127,216－1,518,122＝609,094 → 609,000 （百円未満切捨）

(8) 納付税額

609,000

*01) この段階で端数を一旦切り捨てます。673,636×90％＝606,272.4 → 606,272 （切捨）

*02) この段階で端数を一旦切り捨てます。1,354,363×60％＝812,617.8 → 812,617 （切捨）

| Try it | | | 簡易課税制度 |

株式会社甲社は衣料品の販売業を営んでいる法人であり、甲社の令和7年4月1日から令和8年3月31日までの当課税期間に関連する取引の状況は、次の【資料】のとおりである。これに基づき、当課税期間における確定申告により納付すべき消費税額をその計算過程を示して計算しなさい。なお、みなし仕入率は、いわゆる原則法によるものとする。

【資料】

1

損 益 計 算 書 （単位：円）

I	売 上 高		
	総 売 上 高	32,000,000	
	売 上 値 引	1,510,000	30,490,000
II	売 上 原 価		
	期 首 商 品 棚 卸 高	1,700,000	
	当 期 商 品 仕 入 高	23,480,000	
	合 計	25,180,000	
	期 末 商 品 棚 卸 高	1,950,000	23,230,000
	売 上 総 利 益		7,260,000
III	販売費及び一般管理費		
	給 与 手 当	2,888,000	
	荷 造 運 送 費	642,000	
	その他の販売費及び一般管理費	1,050,000	4,580,000
	営 業 利 益		2,680,000
IV	営 業 外 収 益		
	受 取 利 息		58,000
V	営 業 外 費 用		
	支 払 利 息		70,000
	経 常 利 益		2,668,000
VI	特 別 損 失		
	貸 倒 損 失		65,000
	税 引 前 当 期 純 利 益		2,603,000

Chapter 11 | 簡易課税制度 I | **11-13** (145)

2 損益計算書の内容に関して付記すべき事項は、次のとおりである。

(1) 売上高の内訳は次のとおりである。

① 卸売業売上高　18,000,000円

② 小売業売上高　14,000,000円

(2) 売上値引きの内訳は次のとおりである。なお、すべて当課税期間の課税売上高に係るものである。

① 卸売業売上高に係るもの　830,000円

② 小売業売上高に係るもの　680,000円

(3) 当期商品仕入高は、すべて課税仕入れに該当する。

(4) 販売費及び一般管理費

① 給与手当には、通勤手当195,000円（通常、必要と認められるもの）が含まれている。

② 荷造運送費は、国内の課税商品の運送に係るものである。

③ その他の販売費及び一般管理費は、すべて課税仕入れに該当する。

(5) 貸倒損失

当課税期間の課税売上高に係る売掛金について貸し倒れたものである。

3 甲社の前々課税期間（令和5年4月1日から令和6年3月31日）の国内における課税売上高（税込）は30,700,000円であった。

4 甲社は前課税期間以前に、消費税簡易課税制度選択届出書を所轄税務署に提出している。

5 軽減税率が適用される取引は含まれていない。

答案用紙

I 納税義務の有無の判定

〔基準期間における課税売上高〕

計 算 過 程	（単位：円）

II 課税標準額に対する消費税額の計算

〔課税標準額〕

計 算 過 程	（単位：円）
	金額	円

〔課税標準額に対する消費税額〕

計 算 過 程 （単位：円）	金額	円

III 仕入れに係る消費税額の計算等

〔簡易課税制度適用有無の判定〕

計 算 過 程	（単位：円）

〔控除対象仕入税額〕

計 算 過 程	（単位：円）

Chapter 11｜簡易課税制度 I ｜ *11-15* （147）

〔控除対象仕入税額〕（続き）

計　算　過　程		（単位：円）
	金額	円

〔売上げの返還等対価に係る消費税額〕

計　算　過　程　（単位：円）	金額	円

〔貸倒れに係る消費税額〕

計　算　過　程　（単位：円）	金額	円

〔控除税額小計〕

計　算　過　程　（単位：円）	金額	円

Ⅳ　納付税額の計算

〔納付税額〕

計　算　過　程		（単位：円）
	金額	円

解 答

I 納税義務の有無の判定

〔基準期間における課税売上高〕

計　算　過　程	（単位：円）
$30,700,000 \times \dfrac{100}{110} = 27,909,090$ $27,909,090 > 10,000,000$　∴　納税義務あり	

II 課税標準額に対する消費税額の計算

〔課税標準額〕

計　算　過　程	（単位：円）
$32,000,000 \times \dfrac{100}{110} = 29,090,909 \rightarrow 29,090,000$（千円未満切捨）	

金額	円
	29,090,000

〔課税標準額に対する消費税額〕

計　算　過　程　（単位：円）	金額	円
$29,090,000 \times 7.8\% = 2,269,020$		2,269,020

III 仕入れに係る消費税額の計算等

〔簡易課税制度適用有無の判定〕

計　算　過　程	（単位：円）
(1)　消費税簡易課税制度選択届出書の提出あり (2)　基準期間における課税売上高　　27,909,090 ≦ 50,000,000 　　　∴　簡易課税制度の適用あり	

〔控除対象仕入税額〕

計　算　過　程	（単位：円）
(1)　業種別消費税額 　①　第一種事業 　　イ　$18,000,000 \times \dfrac{7.8}{110} = 1,276,363$ 　　ロ　$830,000 \times \dfrac{7.8}{110} = 58,854$ 　　ハ　イ－ロ＝1,217,509 　②　第二種事業 　　イ　$14,000,000 \times \dfrac{7.8}{110} = 992,727$ 　　ロ　$680,000 \times \dfrac{7.8}{110} = 48,218$ 　　ハ　イ－ロ＝944,509	

Chapter 11｜簡易課税制度 I

〔控除対象仕入税額〕（続き）

計　算　過　程 （単位：円）
③　合計 　　①＋②＝2,162,018 ⑵　控除対象仕入税額 　①　基礎税額 　　2,269,020－107,072＝2,161,948 　②　控除対象仕入税額 　　$2,161,948 \times \dfrac{1,217,509 \times 90\% + 944,509 \times 80\%}{2,162,018} = 1,851,305$

	金 額	円 1,851,305

〔売上げの返還等対価に係る消費税額〕

計　算　過　程 （単位：円）	金 額	円
$(830,000 + 680,000) \times \dfrac{7.8}{110} = 107,072$		107,072

〔貸倒れに係る消費税額〕

計　算　過　程 （単位：円）	金 額	円
$65,000 \times \dfrac{7.8}{110} = 4,609$		4,609

〔控除税額小計〕

計　算　過　程 （単位：円）	金 額	円
1,851,305＋107,072＋4,609＝1,962,986		1,962,986

Ⅳ　納付税額の計算

〔納付税額〕

計　算　過　程 （単位：円）
⑴　差引税額 　　2,269,020－1,962,986＝306,034　→　306,000（百円未満切捨） ⑵　納付税額 　　306,000

	金 額	円 306,000

解　説

1　簡易課税制度の適用

　「消費税簡易課税制度選択届出書」の提出と、基準期間における課税売上高5,000万円以下であることが簡易課税制度の適用要件となります。

2 控除対象仕入税額

　簡易課税制度を適用した場合、次の算式で計算します。

　基礎税額×みなし仕入率

3 業種別消費税額

　みなし仕入率そのものを計算するために用います。

4 基礎税額

　本問では、貸倒回収に係る消費税額がないため、課税標準額に対する消費税額から売上げに係る対価の返還等に係る消費税額を控除した金額が基礎税額となります。

5 控除対象仕入税額

　業種別のみなし仕入率を用いて計算します。

6 原則計算の端数処理

　分数式の分子については各みなし仕入率を乗じる「×○%」の計算の都度、端数を切捨て、合計し、みなし仕入率を求めます。みなし仕入率は端数処理を行わず基礎税額に乗じ、乗じた後に端数を切捨てます。

Chapter 11｜簡易課税制度Ⅰ｜**11-19**（151）

第三種事業に該当する「農業」、「林業」及び「漁業」の取扱い

　軽減税率制度の実施に伴い、令和元年10月1日の属する課税期間から令和5年9月30日の属する課税期間までの各課税期間については、軽減税率の対象となる飲食料品を生産する農林水産業については、その軽減税率の対象となる飲食料品の譲渡に係る部分について、第二種事業（改正前：第三種事業）に位置付けることとし、そのみなし仕入率は80％（改正前：70％）とすることとされました。

　上記の改正内容を受け、令和5年10月1日より第二種事業については次のように改訂されました。

第二種事業

　次に掲げる事業をいう。

イ　小売業

ロ　農業（飲食料品の譲渡を行う部分に限る。）

ハ　林業（飲食料品の譲渡を行う部分に限る。）

ニ　漁業（飲食料品の譲渡を行う部分に限る。）

改正の背景

　令和元年10月1日より消費税の軽減税率制度を実施することとされたので、同日以後の消費税制度は複数税率となる。この複数税率の下で簡易課税制度を適用する場合、売上げ及び仕入れに適用される税率が同一であれば、簡易課税制度への影響はありませんが、例えば、第三種事業を営む事業者について、売上げ1,000に適用される税率が軽減税率（税額：80）、仕入れ700に適用される税率が標準税率（税額：70）であった場合、みなし仕入率（70％）を乗じて算出された仕入れに係る消費税額（税額：56）は、実態（税額：70）に比して過少に算出されることとなる。

　改正では、軽減税率の対象となる飲食料品を生産する農林水産業について、みなし仕入率の見直しを行うこととされた。こうした農林水産業については、売上げは軽減税率が適用されるのに対し、仕入れは種子や肥料、農機具など、その大半について標準税率が適用されることから、上記の例のとおり、簡易課税制度を適用すれば、仕入れに係る消費税額が実態に比して過少に算出されることとなる。

　そこで、軽減税率の対象となる飲食料品を生産する農林水産業については、その軽減税率の対象となる飲食料品の譲渡に係る部分について、第二種事業（改正前：第三種事業）に位置付けることとし、そのみなし仕入率は80％（改正前：70％）とすることとされた。

　なお、軽減税率の対象とならない農林水産物を生産する事業については、引き続き第三種事業（みなし仕入率70％）となる。

Chapter 12

申告・納付Ⅰ

Section 1 確定申告

ここまで学習してきた国内取引の消費税はChapter 1で学習したように申告納税方式の税金であるため、事業者が支払うべき消費税額は確定申告により確定されます。

税額の確定とは、国に対する租税という債務の確定であるため、確定申告は申告納税方式のもとでは重要な意味を持ちます。

ここでは、確定申告の具体的な制度の内容について見ていきましょう。

1 確定申告制度の概要（法45 ①）

国内取引に係る消費税について課税事業者は、課税期間ごとに、**その課税期間の末日の翌日から2ヵ月以内に税務署長に対して確定申告書を提出しなければなりません**[*01]。

ただし、国内における**課税資産の譲渡等（輸出免税取引等を除く）**[*02]**がなく、かつ、差引税額がない**[*03]課税期間については、提出義務はありません。

2 納 付（法49）

確定申告書を提出した者は、その申告書に記載した差引税額（中間申告による中間納付額がある場合には納付税額）があるときは、その**申告書の提出期限までに、その消費税額を国に納付**しなければなりません。

3 還 付（法52①、法53 ①）

確定申告書の提出があった場合において、その申告書に**控除不足還付税額又は中間納付還付税額**の記載があるときは、**税務署長**は、これらの申告書を提出した者に対し、その不足額に相当する消費税を還付します[*01]。

*01) 申告納税方式を採用しているため、納税者自らが税額を計算し、申告書を税務署長に提出します。なお、個人事業者の場合は、提出期限の特例があります。

*02)「課税資産の譲渡等（輸出免税取引等を除く）」とは、7.8%課税となる課税取引のことです。消費税法においては、7.8%課税となる取引を指す用語が存在しないため、7.8%課税となる取引を指すときはこのような表現を使います。

*03)「差引税額がない」とは、課税標準額に対する消費税額から控除税額を控除した金額がマイナスとなる場合です。この場合には、このマイナスの金額を差引税額とは呼ばず「控除不足還付税額」と呼びます。

*01) 確定申告義務がある場合で控除不足還付税額や中間納付還付税額が出るケースです。

Section 2 中間申告

課税事業者は、原則として課税期間の末日の翌日から2ヵ月以内に確定申告書を提出し、その申告に係る消費税を納付しなければなりません。

これに加えて、一定の条件に該当する場合には、課税期間開始の日以後一定の各期間につき中間申告が必要になります。

この中間申告について見ていきましょう。

1 中間申告制度の趣旨

課税資産の譲渡等に係る消費税は、その取引が行われた際に納税義務が発生します。しかし、確定申告によって消費税が納付されるのは、納税義務の発生から最長で14ヵ月[01]を経過した時であり、事業者はその期間、納付すべき税金を運用することができます。

納税義務を有する事業者の規模は様々であり、規模の大きな事業者には多額の消費税が集まるため、本来預り金である消費税を原資とした資金運用を認めてしまうことは、納税者間の不平等を是認することとなってしまいます。

こうした納税者間の不平等を解消するために、中間申告制度が設けられています。

また、国の財政面からは、税収の時期を安定させたいという要請があります。この要請に応えることも中間申告制度が設けられている理由のひとつです。

*01) 納期限は確定申告書の提出期限である課税期間の末日の翌日から2ヵ月を経過する日となるため、課税期間が12ヵ月である場合、最長で課税期間の初日から14ヵ月となります。

2 中間申告書の提出義務

1. 適用対象者

中間申告書の提出義務があるのは課税事業者に限られ、**免税事業者については、申告義務はありません。**

なお、「課税期間特例選択・変更届出書」の提出により課税期間の特例[01]の適用を受けている事業者も中間申告の対象から除かれます。

*01) 課税期間の特例は応用編で見ていきます。

2. 提出義務

中間申告書の提出義務の有無は、**直前の課税期間の確定消費税額[02]を基準に判定し[03]**、判定された区分ごとに中間申告書を提出しなければなりません。なお、この**中間申告の計算の対象となる期間を中間申告対象期間**といい、その年又は事業年度のうち最後の期間は、確定申告を行うため除かれます。

*02) 差引税額のことをいいます。

*03) 当課税期間に課税事業者であっても、前課税期間が免税事業者であった場合には、判定の基準となる直前の課税期間の確定消費税額がないため、中間申告書の提出義務はありません。

Chapter 12｜申告・納付I｜**12-3** （155）

直前の課税期間の確定消費税額	中間申告書の提出義務	
年間4,800万円超	一月中間申告	1ヵ月ごと年11回
年間400万円超、4,800万円以下	三月中間申告	3ヵ月ごと年3回
年間48万円超、400万円以下	六月中間申告	6ヵ月ごと年1回
年間48万円以下	中間申告不要	

3 中間納付税額の計算

中間納付税額の計算方法には、**直前の課税期間の確定消費税額を基礎とする場合**（原則）と、**仮決算に基づく場合**（特例）があります。

なお、問題文で与えられている場合には、計算不要です。

4 中間申告による納付（法48）

中間申告書を提出した者は、中間申告書に記載した金額があるときは、その申告書の**提出期限**までにその消費税額を**国**に納付しなければなりません。

問題集編

Chapter 1

消費税とは I

→ 解答・解説　1-8

| 問題1 | 消費税の概要 | 基本 | 5分 |

次の文章の空欄を埋めなさい。

⑴　消費税の税率は 10％であり、国税（　①　）％、地方税（　②　）％で構成されている。

⑵　税の負担者と納税者が同一である税金を（　③　）、負担者と納税者が異なる税金を（　④　）といい、国内取引の消費税は（　④　）である。

⑶　税額計算を誰が行うかにより税金を分類した場合、（　⑤　）と（　⑥　）の2つの方式に分けられるが、消費税法の国内取引については（　⑤　）を採用している。

⑷　取引を区分すると、（　⑦　）取引、（　⑧　）取引、（　⑨　）取引、国外取引に分けられ、消費税法では、（　⑦　）取引と（　⑧　）取引をまとめたものを広義の（　⑦　）取引と捉えている。

　　また、この広義の（　⑦　）取引と（　⑨　）取引を課税の対象としている。

⑸　消費税法では、（　⑩　）と（　⑪　）を事業者という。

⑹　消費税の計算の基礎となる期間を（　⑫　）という。

解答欄

①（　　　　　）　②（　　　　　）　③（　　　　　）　④（　　　　　）

⑤（　　　　　）　⑥（　　　　　）　⑦（　　　　　）　⑧（　　　　　）

⑨（　　　　　）　⑩（　　　　　）　⑪（　　　　　）　⑫（　　　　　）

→ 解答・解説　1-8

| 問題2 | 納付税額の計算(1) | 基本 | 10分 |

次の各設問に基づいて、納付すべき税額を計算しなさい。

問1

⑴　課税売上高（税込）　　　　　75,200,000 円

⑵　課税仕入高（税込）　　　　　50,400,100 円

問2

⑴　課税売上高（税込）　　　　　43,294,700 円

⑵　課税仕入高（税込）　　　　　30,306,300 円

⑶　中間納付税額　　　　　　　　　240,000 円

問3

⑴　課税売上高（税込）　　　　145,248,000 円

⑵　課税仕入高（税込）　　　　139,552,000 円

⑶　中間納付税額　　　　　　　　　500,000 円

問4

⑴　課税売上高（税込）　　　　　96,832,000 円

⑵　課税仕入高（税込）　　　　108,780,000 円

(160) 1-2

解答欄

問1

課税標準額に対する消費税額	円
控除対象仕入税額	円
差引税額	円
納付税額	円

問2

課税標準額に対する消費税額	円
控除対象仕入税額	円
差引税額	円
納付税額	円

問3

課税標準額に対する消費税額	円
控除対象仕入税額	円
差引税額	円
中間納付還付税額	円

問4

課税標準額に対する消費税額	円
控除対象仕入税額	円
控除不足還付税額	円

→ 解答・解説 1-11

問題3 納付税額の計算(2) 　　基本 7分

　甲株式会社（以下「甲社」という。）は、雑貨（課税資産）の小売業を営んでいる法人である。次の甲社の当課税期間（令和7年4月1日〜令和8年3月31日）に関連する【資料】基づき、甲社の当課税期間における確定申告により納付すべき消費税額をその計算過程を示して計算しなさい。

【資料】

(1) 課税売上げに関する事項（税込）

　① 商品売上高　　　　　　　　　69,120,000円

　② 車両売却収入　　　　　　　　　 300,000円

(2) 課税仕入れに関する事項（税込）

　① 商品仕入高　　　　　　　　　41,600,000円

　② 広告宣伝費　　　　　　　　　 1,680,000円

　③ 水道光熱費　　　　　　　　　　 960,000円

　④ 事務所賃借料　　　　　　　　 3,600,000円

(4) 中間納付税額　　　　　　　　　　 680,000円

(162) 1-4

解答欄

I 課税標準額に対する消費税額の計算

〔課税標準額〕

計　算　過　程		（単位：円）
	金額	円

〔課税標準額に対する消費税額〕

計　算　過　程　　（単位：円）	金額	円

II 仕入れに係る消費税額の計算等

〔控除対象仕入税額〕

計　算　過　程		（単位：円）
	金額	円

III 納付税額の計算

〔納付税額〕

計　算　過　程		（単位：円）
	金額	円

Chapter 1 | 消費税とは I | **1-5** （163）

→ 解答・解説 1-12

問題4 納付税額の計算(3) 　　　　　　　　　　　　基本　7分

　甲株式会社（以下「甲社」という。）は、家電製品（課税資産）の小売業を営んでいる法人である。次の甲社の当課税期間（令和7年4月1日〜令和8年3月31日）に関連する【資料】基づき、甲社の当課税期間における確定申告により納付すべき消費税額又は還付を受けるべき消費税額をその計算過程を示して計算しなさい。

【資料】
  (1)　課税売上げに関する事項（税込）
    ①　商品売上高　　　　　　86,400,000円
    ②　備品売却収入　　　　　　500,000円
  (2)　課税仕入れに関する事項（税込）
    ①　商品仕入高　　　　　53,568,000円
    ②　広告宣伝費　　　　　 2,592,000円
    ③　国内通信費　　　　　　 950,400円
    ④　事務所賃借料　　　　 6,912,000円
  (3)　中間納付税額　　　　　 1,680,000円

(164)**1-6**

解答欄

I 課税標準額に対する消費税額の計算

〔課税標準額〕

計　算　過　程 （単位：円）		
	金額	円

〔課税標準額に対する消費税額〕

計　算　過　程　　（単位：円）	金額	円

II 仕入れに係る消費税額の計算等

〔控除対象仕入税額〕

計　算　過　程 （単位：円）		
	金額	円

III 納付税額又は還付税額の計算

〔（　　　　　　　　　）〕

計　算　過　程 （単位：円）		
	金額	円

解 答	問題1　消費税の概要

① （　　7.8　　）　② （　　2.2　　）　③ （　直接税　）　④ （　間接税　）

⑤ （ 申告納税方式 ）　⑥ （ 賦課課税方式 ）　⑦ （　国内　）　⑧ （　輸出　）

⑨ （　輸入　）　⑩ （ 個人事業者 ）　⑪ （　法人　）　⑫ （ 課税期間 ）

＊⑩と⑪は順不同

解 説

⑴　消費税の税率は10%であり、国税（①7.8）%、地方税（②2.2）%で構成されている。

⑵　税の負担者と納税者が同一である税金を（③直接税）、負担者と納税者が異なる税金を（④間接税）といい、国内取引の消費税は（④間接税）である。

⑶　税額計算を誰が行うかにより税金を分類した場合、（⑤申告納税方式）と（⑥賦課課税方式）の2つの方式に分けられるが、消費税法の国内取引については（⑤申告納税方式）を採用している。

⑷　取引を区分すると、（⑦国内）取引、（⑧輸出）取引、（⑨輸入）取引、国外取引に分けられ、消費税法では、（⑦国内）取引と（⑧輸出）取引をまとめたものを広義の（⑦国内）取引と捉えている。
　　また、この広義の（⑦国内）取引と（⑨輸入）取引を課税の対象としている。

⑸　消費税法では、（⑩個人事業者）と（⑪法人）を事業者という。

⑹　消費税の計算の基礎となる期間を（⑫課税期間）という。

解 答	問題2　納付税額の計算(1)

問1

課税標準額に対する消費税額	5,332,314	円
控除対象仕入税額	3,573,825	円
差引税額	1,758,400	円
納付税額	1,758,400	円

問2

課税標準額に対する消費税額	3,069,924	円
控除対象仕入税額	2,148,992	円
差引税額	920,900	円
納付税額	680,900	円

問3

課税標準額に対する消費税額	10,299,354	円
控除対象仕入税額	9,895,505	円
差引税額	403,800	円
中間納付還付税額	96,200	円

問4

課税標準額に対する消費税額	6,866,262	円
控除対象仕入税額	7,713,490	円
控除不足還付税額	847,228	円

解説

問1

(1) 課税標準額に対する消費税額

① 課税標準額

$75,200,000円 \times \dfrac{100}{110} = 68,363,636円 \rightarrow 68,363,000円$（千円未満切捨）

② 課税標準額に対する消費税額

$68,363,000円 \times 7.8\% = 5,332,314円$

(2) 控除対象仕入税額

$50,400,100円 \times \dfrac{7.8}{110} = 3,573,825円$

(3) 差引税額

$5,332,314円 - 3,573,825円 = 1,758,489円 \rightarrow 1,758,400円$（百円未満切捨）

(4) 納付税額

$1,758,400円$

問2

(1) 課税標準額に対する消費税額

① 課税標準額

$43,294,700円 \times \dfrac{100}{110} = 39,358,818円 \rightarrow 39,358,000円$（千円未満切捨）

② 課税標準額に対する消費税額

$39,358,000円 \times 7.8\% = 3,069,924円$

(2) 控除対象仕入税額

$30,306,300円 \times \dfrac{7.8}{110} = 2,148,992円$

Chapter 1｜消費税とは I｜**1-9** （167）

⑶　差引税額

　　3,069,924円－2,148,992円＝920,932円　→　920,900円（百円未満切捨）

⑷　納付税額

　　920,900円－240,000円＝680,900円

問3

⑴　課税標準額に対する消費税額

　①　課税標準額

　　　$145,248,000円×\dfrac{100}{110}=132,043,636円$　→　132,043,000円（千円未満切捨）

　②　課税標準額に対する消費税額

　　　132,043,000円×7.8％＝10,299,354円

⑵　控除対象仕入税額

　　$139,552,000円×\dfrac{7.8}{110}=9,895,505円$

⑶　差引税額

　　10,299,354円－9,895,505円＝403,849円　→　403,800円（百円未満切捨）

⑷　中間納付還付税額

　　500,000円－403,800円＝96,200円

　　差引税額より中間納付税額の方が大きい場合、控除しきれない分は中間納付還付税額として還付されます。

問4

⑴　課税標準額に対する消費税額

　①　課税標準額

　　　$96,832,000円×\dfrac{100}{110}=88,029,090円$　→　88,029,000円（千円未満切捨）

　②　課税標準額に対する消費税額

　　　88,029,000円×7.8％＝6,866,262円

⑵　控除対象仕入税額

　　$108,780,000円×\dfrac{7.8}{110}=7,713,490円$

⑶　控除不足還付税額

　　7,713,490円－6,866,262円＝847,228円

　　課税標準額に対する消費税額より控除対象仕入税額の方が大きい場合、控除しきれない分は控除不足還付税額として還付されます。なお、控除不足還付税額については、差引税額のような百円未満切捨を行わない点に注意しましょう。

解 答	問題3 納付税額の計算(2)

I 課税標準額に対する消費税額の計算

〔課税標準額〕

計 算 過 程	(単位：円)	金額	円
商品売上69,120,000＋車両売却300,000＝69,420,000 $69,420,000×\dfrac{100}{110}=63,109,090 → 63,109,000$ （千円未満切捨）			63,109,000

〔課税標準額に対する消費税額〕

計 算 過 程 （単位：円）	金額	円
$63,109,000×7.8\%＝4,922,502$		4,922,502

II 仕入れに係る消費税額の計算等

〔控除対象仕入税額〕

計 算 過 程	(単位：円)	金額	円
商品仕入41,600,000＋広告宣伝1,680,000＋水道光熱960,000＋賃借料3,600,000＝47,840,000 $47,840,000×\dfrac{7.8}{110}=3,392,290$			3,392,290

III 納付税額の計算

〔納付税額〕

計 算 過 程	(単位：円)	金額	円
(1) 差引税額 $4,922,502－3,392,290＝1,530,212 → 1,530,200$ （百円未満切捨） (2) 納付税額 $1,530,200－680,000＝850,200$			850,200

解 説

それぞれの税額を求める際は、該当する取引を合計し、合計した金額を基に計算を行います。

Chapter 1 | 消費税とは I **1-11**

解答 問題4 納付税額の計算(3)

I 課税標準額に対する消費税額の計算

〔課税標準額〕

計　算　過　程	金額 (単位：円)
商品売上86,400,000＋備品売却500,000＝86,900,000 $86,900,000 \times \dfrac{100}{110} = 79,000,000$（千円未満切捨）	79,000,000

〔課税標準額に対する消費税額〕

計　算　過　程　(単位：円)	金額 円
79,000,000×7.8％＝6,162,000	6,162,000

II 仕入れに係る消費税額の計算等

〔控除対象仕入税額〕

計　算　過　程　(単位：円)	金額 円
商品仕入53,568,000＋広告宣伝2,592,000＋通信費950,400＋賃借料6,912,000＝64,022,400 $64,022,400 \times \dfrac{7.8}{110} = 4,539,770$	4,539,770

III 納付税額又は還付税額の計算

〔(中間納付還付税額)〕

計　算　過　程　(単位：円)	金額 円
(1) 差引税額 　　6,162,000－4,539,770＝1,622,230 → 1,622,200（百円未満切捨） (2) 中間納付還付税額 　　1,680,000－1,622,200＝57,800	57,800

解説

差引税額より中間納付税額の方が大きい場合、控除しきれない分は中間納付還付税額として還付されます。

Chapter 2

課税の対象 I

→ 解答・解説 2-8

| 問題1 | 国内取引の判定 | 基本 | 5分 |

次の取引のうち、国内取引に該当するものを選びなさい。

［資産の譲渡又は貸付け］
(1) 外国法人が奈良にある土地を外国法人に貸付ける行為
(2) 内国法人が埼玉県に所有する土地を外国法人に売却する行為
(3) 外国法人がワシントンに所有する土地を内国法人に売却する行為
(4) 内国法人が外国にある棚卸資産を内国法人に売却する行為
(5) 内国法人の国外支店が所有する建物を内国法人に貸し付ける行為
(6) 内国法人が国外で製造した製品を国内に輸入し国内支店で販売する行為
(7) 内国法人の国外支店にある商品を内国法人に販売する行為

［役務の提供］
(1) 外国法人が東京から北海道へ荷物を輸送する行為
(2) 内国法人がニューヨークから大阪へ荷物を輸送する行為
(3) 外国法人が国内の支店において国内の広告宣伝をする行為

解答欄

［資産の譲渡又は貸付け］
［役務の提供］

(172)*2-2*

→ 解答・解説 2-8

問題2 課税の対象　　　　　　　　　　　基本　5分

次の取引のうち、課税の対象に該当するものを選びなさい。

なお、特に指示のない取引については、国内において行われたものとすること。

(1)　法人が所有する機械を売却する行為

(2)　法人が土地を贈与する行為

(3)　法人が保険会社から保険金を取得する行為

(4)　法人が加害者から損害賠償金を取得する行為

(5)　法人が不要段ボールを売却する行為

(6)　法人の所有する土地が収用されたことに伴い対価補償金を収受する行為

(7)　法人の所有する社宅を従業員に使用させ、使用料を収受する行為

(8)　法人が棚卸資産を販売する行為

(9)　法人が配当金を収受する行為

解答欄

課税の対象となる取引

Chapter 2｜課税の対象Ⅰ｜**2-3**　（173）

→ 解答・解説 2-9

問題3 課税の対象の理論　　基本　5分

課税の対象に関して、以下の文章の空欄を埋めなさい。

(1) 国内取引の課税の対象（特定資産の譲渡等及び特定仕入れについては、触れる必要はない。）

国内において（　①　）が行った（　②　）には、消費税を（　③　）。

(2) 輸入取引の課税の対象

（　④　）から引き取られる（　⑤　）には、消費税を（　③　）。

(3) 資産の譲渡等の意義

（　②　）とは、（　⑥　）として（　⑦　）を得て行われる（　⑧　）及び（　⑨　）並びに（　⑩　）をいう。

解答欄

① (　　　　　　) ② (　　　　　　) ③ (　　　　　　) ④ (　　　　　　)

⑤ (　　　　　　) ⑥ (　　　　　　) ⑦ (　　　　　　) ⑧ (　　　　　　)

⑨ (　　　　　　) ⑩ (　　　　　　)

········ *Memorandum Sheet* ········

→ 解答・解説 2-10

問題4 | 納付税額の計算 | 基本 | 7分

　甲株式会社（以下、「甲社」という。）は、家電製品（課税資産）の小売業を営んでいる法人であり、甲社の当課税期間に関連する取引の状況は、次のとおりである。

　これに基づき、当課税期間（令和7年4月1日～令和8年3月31日）における確定申告により納付すべき消費税額をその計算過程を示して求めなさい。

【資料】

 (1) 売上げに関する事項（税込）

  ① 商品売上高   86,400,000円

  ② 備品売却収入   600,000円

  ③ 保有株式に係る配当金 80,000円

  ④ 保養所施設利用料収入 2,450,000円

 (2) 課税仕入れに関する事項（税込）

  ① 商品仕入高   53,568,000円

  ② 広告宣伝費   2,592,000円

  ③ 国内通信費   950,400円

  ④ 事務所賃借料   6,912,000円

 (3) 中間納付税額   880,000円

(176) 2-6

解答欄

Ⅰ 課税標準額に対する消費税額の計算

〔課税標準額〕

計　算　過　程		（単位：円）
	金額	円

〔課税標準額に対する消費税額〕

計　算　過　程　　（単位：円）	金額	円

Ⅱ 仕入れに係る消費税額の計算等

〔控除対象仕入税額〕

計　算　過　程		（単位：円）
	金額	円

Ⅲ 納付税額の計算

〔納付税額〕

計　算　過　程		（単位：円）
	金額	円

解 答	問題1　国内取引の判定

［資産の譲渡又は貸付け］
⑴　⑵　⑹
［役務の提供］
⑴　⑵　⑶

解 説

［資産の譲渡又は貸付け］

⑴　国内にある資産の貸付けであるため、国内取引に該当します。

⑵　国内にある資産の譲渡であるため、国内取引に該当します。

⑶　国外にある資産の譲渡であるため、国内取引に該当しません。

⑷　国外にある資産の譲渡であるため、国内取引に該当しません。

⑸　国外にある資産の貸付けであるため、国内取引に該当しません。

⑹　国内にある資産の譲渡であるため、国内取引に該当します。

⑺　国外支店にある資産の譲渡であるため、国内取引に該当しません。

［役務の提供］

⑴　国内における役務の提供なので、国内取引に該当します。

⑵　国際運輸が国内取引に該当するか否かの判定は、その貨物の出発地、発送地又は到着地のいずれか
により行います。

　　本問は、貨物の到着地が国内であるため、国内取引に該当します。

⑶　役務の提供が行われた場所が国内であることから、国内取引に該当します。

解 答	問題2　課税の対象

課税の対象となる取引
⑴　⑸　⑹　⑺　⑻

解 説

⑴⑸⑹⑺⑻　「事業者が事業として」対価を得て行う資産の譲渡等なので、課税の対象となります。

⑵　贈与は対価を得ていないため、課税の対象となりません。

⑶⑷　保険金の収受は、資産の譲渡等に伴い受け取る対価とは異なるため課税の対象となりません。ま
た、損害賠償金の収受も原則として同様です。

⑼　配当金は対価性がないため、課税の対象となりません。

解答 問題3 課税の対象の理論

① （　　　事業者　　　）　② （ 資産の譲渡等 ）　③ （　　　課する　　　）　④ （　　　保税地域　　　）

⑤ （　外国貨物　）　⑥ （　　　事業　　　）　⑦ （　　　対価　　　）　⑧ （　資産の譲渡　）

⑨ （　　貸付け　　）　⑩ （　役務の提供　）

解説

⑴　国内において（①**事業者**）が行った（②**資産の譲渡等**）には、消費税を（③**課する**）。

⑵　（④**保税地域**）から引き取られる（⑤**外国貨物**）には、消費税を（③**課する**）。

⑶　（②**資産の譲渡等**）とは、（⑥**事業**）として（⑦**対価**）を得て行われる（⑧**資産の譲渡**）及び（⑨**貸付け**）並びに（⑩**役務の提供**）をいう。

Chapter 2｜課税の対象Ⅰ｜*2-9*　（179）

| 解 答 | 問題4 納付税額の計算 |

I 課税標準額に対する消費税額の計算

〔課税標準額〕

計 算 過 程	（単位：円）	
商品売上86,400,000＋備品売却600,000＋保養所収入2,450,000＝89,450,000 $89,450,000 \times \dfrac{100}{110} = 81,318,181 \ \rightarrow \ 81,318,000$ （千円未満切捨）	金額	円 81,318,000

〔課税標準額に対する消費税額〕

計 算 過 程　（単位：円）	金額	円
$81,318,000 \times 7.8\% = 6,342,804$		6,342,804

II 仕入れに係る消費税額の計算等

〔控除対象仕入税額〕

計 算 過 程	（単位：円）	
商品仕入53,568,000＋広告宣伝2,592,000＋通信費950,400＋賃借料6,912,000＝64,022,400 $64,022,400 \times \dfrac{7.8}{110} = 4,539,770$	金額	円 4,539,770

III 納付税額の計算

〔納付税額〕

計 算 過 程	（単位：円）	
(1) 差引税額 　　$6,342,804 - 4,539,770 = 1,803,034 \ \rightarrow \ 1,803,000$（百円未満切捨） (2) 納付税額 　　$1,803,000 - 880,000 = 923,000$	金額	円 923,000

解 説

　保有株式に係る配当金は、対価性がないため消費税の課税対象外取引となる。

Chapter 3

非課税取引 I

→ 解答・解説 3-6

| 問題1 | 土地の譲渡及び貸付け等 | 基本 | 5分 |

次の取引のうち、非課税取引に該当するものを選びなさい。なお、与えられた取引は国内取引の要件を満たしている。

(1) 法人が土地を賃貸する行為
(2) 法人が駐車場用地を貸し付ける行為
(3) 法人が野球場を貸し付ける行為
(4) 法人が土地の譲渡に伴う仲介手数料を受け取る行為
(5) 法人が土地を2週間貸し付ける行為
(6) 法人が倉庫建物及び敷地（土地付建物）を貸し付ける行為
(7) 法人が駐車場設備が備わった土地を駐車場利用者に貸し付ける行為

解答欄

非課税取引

→ 解答・解説 3-6

| 問題2 | 有価証券等の譲渡 | 基本 | 3分 |

次の取引のうち、非課税取引に該当するものを選びなさい。なお、与えられた取引は国内取引の要件を満たしている。

(1) 法人がゴルフ会員権を譲渡する行為
(2) 法人が国債券を譲渡する行為
(3) 法人が株式売買手数料を受け取る行為
(4) 法人がゴルフ場利用株式等を譲渡する行為
(5) 法人が株式を譲渡する行為

解答欄

非課税取引

(182) 3-2

→ 解答・解説 3−6

問題3 その他の非課税取引　　　　基本　5分

次の取引のうち、非課税取引に該当するものを選びなさい。なお、与えられた取引は国内取引の要件を満たしている。

(1)　内国法人が株式投資信託の収益分配金を収受する行為
(2)　内国法人が銀行預金利子を収受する行為
(3)　内国法人が従業員に金銭を貸し付けたことにより利子を収受する行為
(4)　法人が他社発行の商品券の譲渡を行う行為
(5)　法務局が不動産登記の手数料を受け取る行為
(6)　法人が身体障害者用物品である車イスを譲渡する行為
(7)　医療法人が保険診療報酬を受け取る行為
(8)　医療法人が自由診療報酬を受け取る行為

解答欄

非課税取引

Chapter 3 | 非課税取引 I | 3-3　（183）

→ 解答・解説 3-7

| 問題4 | 納付税額の計算 | 基本 | 7分 |

　甲株式会社（以下、「甲社」という。）は、事務用品（課税資産）の小売業を営んでいる法人であり、甲社の当課税期間に関連する取引の状況は、次のとおりである。

　これに基づき、当課税期間（令和7年4月1日～令和8年3月31日）における確定申告により納付すべき消費税額をその計算過程を示して求めなさい。

【資料】

　(1)　売上げに関する事項（税込）

　　　①　商品（事務用品）売上高　　　　93,312,000円

　　　②　コピーサービス収入　　　　　　　980,000円

　　　③　保養所施設利用料収入　　　　　2,450,000円

　　　④　保有株式に係る配当金　　　　　　150,000円

　　　⑤　社員寮の賃貸料収入　　　　　　3,360,000円

　　　⑥　銀行預金利息　　　　　　　　　　120,000円

　(2)　課税仕入れに関する事項（税込）

　　　①　商品（事務用品）仕入高　　　　60,652,800円

　　　②　広告宣伝費　　　　　　　　　　6,796,160円

　　　③　商品（事務用品）国内発送費　　5,458,750円

　　　④　国内交通費　　　　　　　　　　2,529,370円

　(3)　中間納付税額　　　　　　　　　　　559,200円

(184)3-4

解答欄

I 課税標準額に対する消費税額の計算

〔課税標準額〕

計　算　過　程		（単位：円）
	金額	円

〔課税標準額に対する消費税額〕

計　算　過　程　（単位：円）	金額	円

II 仕入れに係る消費税額の計算等

〔控除対象仕入税額〕

計　算　過　程		（単位：円）
	金額	円

III 納付税額の計算

〔納付税額〕

計　算　過　程		（単位：円）
	金額	円

解 答 問題1 土地の譲渡及び貸付け等

非課税取引
(1) (2)

解 説

⑴ 土地の譲渡及び貸付けは、非課税取引となります。

⑵ 更地を駐車場経営者に貸付ける行為は土地の貸付けに該当するため、非課税取引となります。

⑶ テニスコート、野球場の貸付けは施設の貸付けに該当するため、課税取引となります。

⑷ 土地等の譲渡又は貸付けに係る仲介料を対価とする役務の提供は非課税取引に含まれないため、課税取引となります。

⑸ 土地の貸付けに係る期間が1ヵ月に満たない場合は、課税取引となります。

⑹ 土地付建物の貸付けで、建物の貸付け等に係る対価と土地の貸付けに係る対価が区分されている場合であっても、その対価の額の合計額が建物の貸付け等の対価の額となります。そのため、建物の貸付けが住宅の貸付けの場合は、非課税取引となり、建物の貸付けが倉庫建物の貸付けの場合は、課税取引となります。

⑺ 地面の整備又はフェンス、区画、建物の設置等をした上での駐車場又は駐輪場の貸付けは施設の貸付けに該当するため、課税取引となります。

解 答 問題2 有価証券等の譲渡

非課税取引
(2) (5)

解 説

⑴⑷ ゴルフ場利用株式等は有価証券等に含まれないため、その譲渡は課税取引となります。

⑵⑸ 株券、社債券、新株予約権付社債の譲渡は有価証券の譲渡に該当し、非課税取引となります。

⑶ 株式の売買手数料は役務の提供の対価であるため、その受取りは課税取引となります。

解 答 問題3 その他の非課税取引

非課税取引
(1) (2) (3) (4) (5) (6) (7)

解 説

⑴ 株式投資信託の収益分配金の取扱いは、他の税法と異なり、利息扱いとなり、非課税取引となります。

⑵⑶ 受取利子は、非課税取引となります。

⑷ 他社発行の商品券（物品切手）の譲渡は、非課税取引となります。

⑸ 登記手数料は行政手数料に該当し、その受取りは非課税取引となります。

⑹ 身体障害者用物品（車イス）の譲渡は、非課税取引となります。

⑺ 保険診療報酬の受取りは社会保険医療等に関する資産の譲渡等に該当し、非課税取引となります。

⑻ 自由診療報酬の受取りは社会保険医療等に関する資産の譲渡等に該当しないため、課税取引となります。

| 解 答 | 問題4　納付税額の計算 |

I　課税標準額に対する消費税額の計算

〔課税標準額〕

計　算　過　程　　　　　　　　　（単位：円）		
商品売上93.312.000＋コピー収入980,000＋保養所収入2,450,000＝96,742,000 $$96,742,000×\frac{100}{110}=87,947,272 → 87,947,000$$ （千円未満切捨）	金額	円 87,947,000

〔課税標準額に対する消費税額〕

計　算　過　程　　　（単位：円）	金額	円
$87,947,000×7.8\%=6,859,866$	額	6,859,866

II　仕入れに係る消費税額の計算等

〔控除対象仕入税額〕

計　算　過　程　　　　　　　　　（単位：円）		
商品仕入60,652,800＋広告宣伝6,796,160＋発送費5,458,750＋交通費2,529,370＝75,437,080 $$75,437,080×\frac{7.8}{110}=5,349,174$$	金額	円 5,349,174

III　納付税額の計算

〔納付税額〕

計　算　過　程　　　　　　　　　（単位：円）		
(1)　差引税額 　　　6,859,866－5,349,174＝1,510,692　→　1,510,600（百円未満切捨） (2)　納付税額 　　　1,510,600－559,200＝951,400	金額	円 951,400

解 説

(1)　保有株式に係る配当金は、対価性がないため消費税の課税対象外取引となる。

(2)　社員寮の賃貸料収入及び銀行預金利息は非課税取引となるため課税標準を構成しない。

Chapter 3｜非課税取引 I｜*3-7*

········ *Memorandum Sheet* ········

Chapter 4

免税取引 I

→ 解答・解説 4-6

問題1　輸出免税等の取引の判定(1)　基本　7分

次の取引のうち、免税となる取引を選びなさい。

なお、特に指示があるものを除き、すべて国内取引の要件を満たすものとする。また、資産の譲渡及び貸付け並びに役務の提供についてはそれぞれ対価を収受しているものとする。

(1)　内国法人が、食料品を国外の消費者に輸出販売した。

(2)　内国法人が、国外の支店においてテレビを販売した。

(3)　内国法人が、アメリカから日本への国際電話料金を収受した。

(4)　内国法人が、国内で非居住者を宿泊させた。

(5)　内国法人が、国内で輸出業者に対し、輸出製品の下請加工をした。

(6)　内国法人が、特許権（登録地日本）を非居住者に譲渡した。

(7)　内国法人が国外に所有する事務所建物を外国法人に貸し付けた。

解答欄

→ 解答・解説 4-6

問題2　輸出免税等の取引の判定(2)　基本　8分

次に掲げる取引のうち、輸出免税の適用を受けることができる取引を選び解答欄に番号を記入しなさい。

(1)　玩具の製造・卸売業を営む内国法人はイタリアの商社へ玩具を輸出した。

(2)　上記内国法人の韓国支店がイギリスの商社へ玩具を輸出した。

(3)　内国法人が国外の事業者に対し、国外に有する建物を賃貸した。

(4)　非居住者に対して居住者である作家（個人事業者）が、その所有する著作権の譲渡をした。

(5)　内国法人が国内で登録した実用新案権を国外の事業者に貸し付けた。

(6)　内国法人が輸出業者A社に対し国内において課税資産の譲渡をした。

(7)　内国法人が国際電話通信（日本から発信したもの、又は、日本に着信したもの）の対価を得た。

(8)　内国法人が成田～パリ間の旅客輸送を行い対価を得た。

解答欄

→ 解答・解説 4-6

問題3 輸出免税等の理論　　　　　　　　　　　　基本　3分

輸出取引等の免税について、下記の空欄を埋めなさい。

(1) 内容

事業者（免税事業者を除く。）が国内において行う（　①　）のうち、（　②　）に該当するものについては、消費税を（　③　）。

(2) 輸出証明

この規定は、その（　①　）が（　②　）に該当するものであることにつき（　④　）がされたものでない場合には適用しない。

解答欄

①　(　　　　　　　　　　　　　　　　)　②　(　　　　　　　　　　　　　　　　)

③　(　　　　　　　　　　　　　　　　)　④　(　　　　　　　　　　　　　　　　)

Chapter 4｜免税取引Ⅰ｜*4-3*　（191）

→ 解答・解説 4−7

問題4 納付税額の計算 基本 7分

　甲株式会社（以下、「甲社」という。）は、家庭用雑貨（課税資産）の小売業を営んでいる法人であり、甲社の当課税期間に関連する取引の状況は、次のとおりである。

　これに基づき、当課税期間（令和7年4月1日～令和8年3月31日）における確定申告により納付すべき消費税額をその計算過程を示して求めなさい。

【資料】

　(1)　売上げに関する事項（税込）

　　　①　商品（家庭用雑貨）売上高　　48,462,000円

　　　②　不要となった備品の売却収入　　129,600円

　　　③　保有株式に係る配当金　　15,000円

　　　④　銀行預金利息　　120,000円

　　　⑤　株式投資信託の収益分配金　　14,300円

　(2)　課税仕入れに関する事項（税込）

　　　①　商品（家庭用雑貨）仕入高　　26,654,800円

　　　②　広告宣伝費　　6,748,680円

　　　③　国内通信費　　2,132,380円

　　　④　国内運送費　　3,876,960円

　(3)　中間納付税額　　254,300円

(192)**4-4**

解答欄

I 課税標準額に対する消費税額の計算

〔課税標準額〕

計 算 過 程		（単位：円）
	金額	円

〔課税標準額に対する消費税額〕

計 算 過 程 （単位：円）	金額	円

II 仕入れに係る消費税額の計算等

〔控除対象仕入税額〕

計 算 過 程		（単位：円）
	金額	円

III 納付税額の計算

〔納付税額〕

計 算 過 程		（単位：円）
	金額	円

Chapter 4 | 免税取引 I | *4-5* （193）

解 答　問題1　輸出免税等の取引の判定(1)

> (1)　(3)　(6)

解 説

(1)　本邦からの輸出として行われる資産の譲渡は輸出取引等に該当するため、免税取引となります。

(2)　資産の譲渡の時において、その資産が国外にあるため、国外取引となり、不課税取引となります。

(3)　受信地が国内であるため、国内取引となります。また、国際通信は輸出取引等に該当するため、免税取引となります。

(4)　国内で非居住者を宿泊させる行為は、非居住者が国内において直接便益を享受する役務の提供となるため、輸出取引等に該当せず、免税取引となりません。なお、当該取引は7.8%課税取引となります。

(5)　本邦からの輸出として行われる資産の譲渡ではないため、輸出取引等には該当せず、免税取引となりません。なお、当該取引は7.8%課税取引となります。輸出ではなく、輸出業者への役務の提供であることに注意して下さい。

(6)　登録地が日本であるため、国内取引となり、非居住者に対する無形固定資産の譲渡として免税取引に該当します。

(7)　資産の貸付時において、その資産が国外にあるため、国外取引となり、不課税取引となります。

解 答　問題2　輸出免税等の取引の判定(2)

> (1)　(4)　(5)　(7)　(8)

解 説

(1)　本邦からの輸出として行われる資産の譲渡又は貸付け

(2)　課税対象外取引（国外取引）

(3)　課税対象外取引（国外取引）

(4)　非居住者に対する無形固定資産の譲渡、貸付け

(5)　非居住者に対する無形固定資産の譲渡、貸付け

(6)　7.8%課税売上げ

(7)　国際通信

(8)　国際運輸

解 答　問題3　輸出免税等の理論

① (　　　　　課税資産の譲渡等　　　　　)　② (　　　　　輸出取引等　　　　　)
③ (　　　　　免除する　　　　　)　④ (　　　　　証明　　　　　)

解 説

(1)　内容

　　事業者（免税事業者を除く。）が国内において行う（**①課税資産の譲渡等**）のうち、（**②輸出取引等**）に該当するものについては、消費税を（**③免除する**）。

(2)　輸出証明

　　この規定は、その（**①課税資産の譲渡等**）が（**②輸出取引等**）に該当するものであることにつき（**④証明**）がされたものでない場合には適用しない。

| 解 答 | 問題4　納付税額の計算 |

I　課税標準額に対する消費税額の計算

〔課税標準額〕

計　算　過　程　　　　　　　　　　　　（単位：円）		
商品売上48,462,000＋備品売却129,600＝48,591,600 $48,591,600 \times \dfrac{100}{110} = 44,174,181 \rightarrow 44,174,000$ （千円未満切捨）	金額	円 44,174,000

〔課税標準額に対する消費税額〕

計　算　過　程　　（単位：円）		
44,174,000×7.8％＝3,445,572	金額	円 3,445,572

II　仕入れに係る消費税額の計算等

〔控除対象仕入税額〕

計　算　過　程　　　　　　　　　　　　（単位：円）		
商品仕入26,654,800＋広告宣伝6,748,680＋通信費2,132,380＋運送費3,876,960＝39,412,820 $39,412,820 \times \dfrac{7.8}{110} = 2,794,727$	金額	円 2,794,727

III　納付税額の計算

〔納付税額〕

計　算　過　程　　　　　　　　　　　　（単位：円）		
(1)　差引税額 　　3,445,572－2,794,727＝650,845 → 650,800（百円未満切捨） (2)　納付税額 　　650,800－254,300＝396,500	金額	円 396,500

解 説

(1)　保有株式に係る配当金は、対価性がないため消費税の課税対象外取引となる。

(2)　銀行預金利息及び株式投資信託の収益分配金は非課税取引となるため課税標準を構成しない。

Chapter 4｜免税取引I｜*4-7*

········ *Memorandum Sheet* ········

Chapter 5

課税標準及び税率Ⅰ

| 問題1 | 課税標準(1) | 基本 | 10分 |

→ 解答・解説 5-10

次の取引について売上げに計上すべき金額を求めなさい。

(1) A百貨店は、定価50,000円の課税商品についてバーゲンセールにて20,000円で販売した。

(2) B酒造会社は、製造した日本酒を5,000円（酒税216円を含む価額。）で販売した。

(3) 草津にあるC温泉旅館は、宿泊代及び飲食代として1人1泊21,750円を受領した。このうち150円は入湯税であり、領収書においてその金額が明示されている。

(4) Dガソリンスタンドは、軽油130,000円（軽油引取税32,500円を含む価額）を販売した。なお、軽油引取税は請求書及び領収書等で区分して表示している。

(5) 個人事業者Eは、不要となった商品配送用車両を500,000円で売却した。なお、この商品配送用車両は週末に個人事業者Eの家事用としても使用されており、事業用と家事用の使用割合は、事業用3：家事用1である。

解答欄

(1)

(2)

(3)

(4)

(5)

→ 解答・解説　5-10

問題2　課税標準(2)　　　　　　　　　　　　　　　　　基本　10分

　次の資料に基づき、当社の当課税期間（令和7年4月1日～令和8年3月31日）における課税標準額に対する消費税額を求めなさい。

1.　経理方法　＜税込方式＞

2.　売上げ等に関する資料

⑴　商品売上高は、268,364,500円であり、このなかには非課税取引及び輸出免税取引に係るものは含まれていない。

⑵　当社所有の特許権（国内で登録している。）を国内の事業者に貸付けたことにより、使用料1,944,000円を受け取った。

⑶　事業用資金を国内の銀行に預け入れていることにより、利息25,000円を受け取った。

⑷　所有している株式に係る配当金として273,000円を受け取った。

⑸　商品保管用倉庫が火災により焼失し、仕入先より見舞金100,000円を受け取った。

⑹　当社所有の建物（国内所在）を国内の事業者に事務所として貸付けたことにより、賃貸料3,240,000円を受け取った。

⑺　当社所有のアパート（国内所在）の貸付けに係る賃貸料収入2,677,500円を受け取った。（契約において人の居住用に供することが明らかにされている。）

⑻　⑸の倉庫の焼失により、保険会社より火災保険金2,000,000円を受け取った。

⑼　国内に所在する株式（ゴルフ場利用株式等には該当しない。）を3,500,000円で譲渡した。

⑽　国内に所在するゴルフ場に係るゴルフ場利用株式を4,320,000円で譲渡した。

解答欄

Ⅰ　課税標準額に対する消費税額の計算

〔課税標準額〕

計　算　過　程		（単位：円）
	金額	円

〔課税標準額に対する消費税額〕

計　算　過　程　　（単位：円）	金額	円

Chapter 5 | 課税標準及び税率Ⅰ | **5-3**　（199）

→ 解答・解説 5-11

| 問題3 | 納付税額の計算(1) | 基本 | 7分 |

次の資料に基づき、当課税期間（令和7年4月1日～令和8年3月31日）における納付すべき消費税の額を計算しなさい。なお、当社は税込経理方式を採用している。

(1)　当課税期間の商品売上げに関する資料

　　　国内商品売上高　　　105,998,000円（非課税取引及び輸出免税取引に係るものは含まれていない。）

　　　この商品売上高のうちには令和7年9月20日に注文を受けた商品代金3,000,000円の手付金として収受した1,000,000円が含まれている。なお、この商品については当課税期間末日までに発送済であり、手付金を控除した残額2,000,000円は当課税期間末日現在未収となっているため上記金額には含まれていない。

(2)　貸事務所賃貸料収入

　　　当社は当課税期間より当社ビルの一部を貸事務所として貸し付けており、その賃貸料収入が5,292,000円、保証金収入756,000円（賃貸借期間終了時に返還することが契約書に明示されている。）がある。

(3)　課税標準額に対する消費税額から控除される仕入れに係る消費税額は2,189,000円である。

(4)　当課税期間中に納付した中間納付税額は2,950,000円であった。

(200)5-4

解答欄

I 課税標準額に対する消費税額の計算

〔課税標準額〕

計　算　過　程		（単位：円）
	金額	円

〔課税標準額に対する消費税額〕

計　算　過　程　　　（単位：円）	金額	円

II 仕入れに係る消費税額の計算等

〔控除対象仕入税額〕

計　算　過　程		（単位：円）
	金額	円

III 納付税額の計算

〔納付税額〕

計　算　過　程		（単位：円）
	金額	円

→ 解答・解説 5-12

| 問題4 | 納付税額の計算(2) | 基本 | 10分 |

次の資料に基づき、当課税期間（令和7年4月1日〜令和8年3月31日）に納付すべき消費税の額を計算しなさい。なお、当社は税込経理方式を採用している。

(1) 当課税期間の売上げ等に関する資料

① 商品売上高　　121,750,000円（非課税取引及び輸出免税取引に係るものは含まれていない。）

上記金額のうち3,591,800円は定価8,979,500円の商品を年末のバーゲンセールにおいて定価の60%引きで販売したものである。

④ 令和8年2月に商品保管用倉庫から出火し、保険会社から受け取った保険金3,000,000円、及びこの火災により得意先から受け取った見舞金200,000円がある。

⑤ 商品包装用機械の売却代金　　300,000円。

(2) 当課税期間の仕入れ等に関する資料

① 国内のメーカーからの商品仕入高（課税仕入れ）　　90,578,000円

② 通勤定期券の購入費（課税仕入れ）　　720,000円

③ 商品運搬に係る国内運送費（課税仕入れ）　　899,000円

④ 国際通信費（課税仕入れに該当しない）　　54,000円

⑤ 国内通信費（課税仕入れ）　　476,000円

⑥ 新型の商品包装機械の購入費（課税仕入れ）　　3,500,000円

⑦ 事業用車両のガソリン代（課税仕入れ）　　593,000円

⑧ 得意先への慶弔金（金銭による支払い。課税仕入れに該当しない）

200,000円

⑨ その他の費用（すべて課税仕入れに該当する）　　2,245,000円

(3) 中間納付消費税額　　420,500円

(202)5-6

解答欄

I　課税標準額に対する消費税額の計算

〔課税標準額〕

計　算　過　程		（単位：円）
	金額	円

〔課税標準額に対する消費税額〕

計　算　過　程　　（単位：円）	金額	円

II　仕入れに係る消費税額の計算等

〔控除対象仕入税額〕

計　算　過　程		（単位：円）
	金額	円

III　納付税額の計算

〔納付税額〕

計　算　過　程		（単位：円）
	金額	円

→ 解答・解説　5-13

問題5　納付税額の計算(3)　　　　　　基本　15分

　次の資料に基づき、甲株式会社（以下「甲社」という。）の当課税期間（令和7年4月1日～令和8年3月31日）に係る確定申告により納付すべき消費税の額を計算しなさい。なお、甲社は消費税法施行以来課税事業者に該当し、経理処理は税込経理を採用している。

　また、軽減税率が適用される取引は含まれていない。

(1)　当課税期間の売上げ等に関する資料

① 国内における課税商品売上高　　　　　　　　　　105,516,000 円

② 国外の商社に対する課税商品輸出売上高　　　　　28,497,000 円

③ 営業用車両の売却収入　　　　　　　　　　　　　　432,000 円

④ 事業用資金に係る国内銀行預金の受取利息収入　　　 56,000 円

⑤ 所有株式に対する受取配当金収入　　　　　　　　　120,000 円

⑥ 従業員、役員の福利厚生のための保養所利用料収入　1,020,000 円

⑦ 商品運搬用車両事故による損害保険金収入　　　　1,500,000 円

⑧ ゴルフ会員権の譲渡収入　　　　　　　　　　　　1,400,000 円

⑨ 従業員用社宅使用料収入　　　　　　　　　　　　2,550,000 円

⑩ 役員に対する社宅無償貸付け（通常収受すべき社宅使用料は 1,200,000 円である。）

(2)　当課税期間の仕入れ等に関する資料

① 当期商品国内仕入高（課税仕入れ）　　　　　　　82,886,000 円

② 上記商品に係る国内における運搬費用（課税仕入れ）　1,546,000 円

③ 上記商品に係る保険料（課税仕入れに該当しない）　　611,000 円

④ 役員報酬・従業員給与（課税仕入れに該当しない）　17,400,000 円

⑤ 通勤定期券の購入費用（課税仕入れ）　　　　　　　787,000 円

⑥ 社会保険料の甲社負担分（課税仕入れに該当しない）　2,076,000 円

⑦ 従業員に対する国内慰安旅行費用（課税仕入れ）　　857,600 円

⑧ 国際電話料金・国際郵便料金（課税仕入れに該当しない）　117,000 円

⑨ 国内電話料金・国内郵便料金（課税仕入れ）　　　　401,000 円

⑩ 商品運搬用車両の修繕費（課税仕入れ）　　　　　　290,000 円

⑪ 水道光熱費（課税仕入れ）　　　　　　　　　　　　365,000 円

⑫ 消耗品費（課税仕入れ）　　　　　　　　　　　　　182,000 円

⑬ 事務所家賃（課税仕入れ）　　　　　　　　　　　2,400,000 円

⑭ 国内出張に係る交通費・宿泊代（課税仕入れ）　　1,286,400 円

⑮ 国外出張に係る交通費（国際航空運賃。課税仕入れに該当しない）

　　　　　　　　　　　　　　　　　　　　　　　　1,039,000 円

⑯ 贈答品用商品券の購入費（課税仕入れに該当しない）　300,000 円

(3)　中間申告による納付税額　　　　　　　　　　　　380,400 円

解答欄

I　課税標準額に対する消費税額の計算

〔課税標準額〕

計　算　過　程		（単位：円）
	金額	円

〔課税標準額に対する消費税額〕

計　算　過　程　　（単位：円）	金額	円

II　仕入れに係る消費税額の計算等

〔控除対象仕入税額〕

計　算　過　程		（単位：円）
	金額	円

III　納付税額の計算

〔納付税額〕

計　算　過　程		（単位：円）
	金額	円

解答　問題1　課税標準(1)

(1)　20,000円

(2)　5,000円

(3)　21,750円－150円＝21,600円

(4)　130,000円－32,500円＝97,500円

(5)　$500,000円 \times \dfrac{3}{3+1}=375,000円$

解説

(1)　課税資産の譲渡等の対価の額は、当事者間で授受することとした対価の額をいいます。

(2)　課税資産の譲渡等の対価の額には、酒税、たばこ税、揮発油税、石油石炭税及び石油ガス税が含まれます。

(3)(4)　課税資産の譲渡等の対価の額には、軽油引取税、ゴルフ場利用税及び入湯税は、利用者が納税義務者となっているので対価の額には含まれません。

(5)　家事共用資産を譲渡した場合には、その譲渡に係る金額を事業としての部分と家事使用に係る部分に合理的に区分します。この場合、事業としての部分に係る対価の額が課税資産の譲渡等の対価の額となります。

解答　問題2　課税標準(2)

I　課税標準額に対する消費税額の計算

〔課税標準額〕

計　算　過　程　（単位：円）	金額	円
商品売上268,364,500＋特許権1,944,000＋賃貸料3,240,000＋ゴルフ株4,320,000 ＝277,868,500 $277,868,500 \times \dfrac{100}{110}=252,607,727 \rightarrow 252,607,000$ （千円未満切捨）	金額	252,607,000

〔課税標準額に対する消費税額〕

計　算　過　程　（単位：円）	金額	円
252,607,000×7.8％＝19,703,346	金額	19,703,346

解説

(3)　受取利息は「非課税取引」

(4)　受取配当金は「課税対象外取引」

(5)　見舞金の受け取りは「課税対象外取引」

(7)　居住用アパートの賃貸料収入は「非課税取引」

(8)　火災保険金の受け取りは「課税対象外取引」

(9)　株式（ゴルフ場利用株式を除く。）の譲渡は「非課税取引」

解 答	問題3　納付税額の計算(1)

I　課税標準額に対する消費税額の計算

〔課税標準額〕

計　算　過　程　　　　　　　　　（単位：円）		
売上高105,998,000＋未収金2,000,000＋賃貸料5,292,000＝113,290,000	金額	円
$113,290,000 \times \dfrac{100}{110} = 102,990,909 \rightarrow 102,990,000$ （千円未満切捨）		102,990,000

〔課税標準額に対する消費税額〕

計　算　過　程　　（単位：円）	金額	円
$102,990,000 \times 7.8\% = 8,033,220$		8,033,220

II　仕入れに係る消費税額の計算等

〔控除対象仕入税額〕

計　算　過　程　　　　　　　　　（単位：円）		
2,189,000	金額	円
		2,189,000

III　納付税額の計算

〔納付税額〕

計　算　過　程　　　　　　　　　（単位：円）		
(1)　差引税額 　　　$8,033,220 - 2,189,000 = 5,844,220 \rightarrow 5,844,200$（百円未満切捨）		
(2)　納付税額 　　　$5,844,200 - 2,950,000 = 2,894,200$	金額	円 2,894,200

解 説

　保証金収入は、賃貸借期間終了時に返還することが契約書に明示されているため、消費税の課税対象外取引となります。

Chapter 5 | 課税標準及び税率 I | *5-11*　（207）

解答	問題4 納付税額の計算(2)

Ⅰ 課税標準額に対する消費税額の計算

〔課税標準額〕

計　算　過　程 　　　　　　　　　　　　　　　(単位：円)	金額	円
商品売上121,750,000＋機械売却300,000＝122,050,000 $122,050,000 \times \dfrac{100}{110} = 110,954,545 \rightarrow 110,954,000$ 　　　　　　　　　　　　　　　　　　　（千円未満切捨）		110,954,000

〔課税標準額に対する消費税額〕

計　算　過　程　　　　　　　(単位：円)	金額	円
$110,954,000 \times 7.8\% = 8,654,412$		8,654,412

Ⅱ 仕入れに係る消費税額の計算等

〔控除対象仕入税額〕

計　算　過　程 　　　　　　　　　　　　　　(単位：円)	金額	円
商品仕入90,578,000＋通勤定期720,000＋運送費899,000＋通信費476,000＋機械3,500,000 ＋ガソリン代593,000＋その他2,245,000＝99,011,000 $99,011,000 \times \dfrac{7.8}{110} = 7,020,780$		7,020,780

Ⅲ 納付税額の計算

〔納付税額〕

計　算　過　程　　　　　　　　　　　　　　(単位：円)	金額	円
(1)　差引税額 　　$8,654,412 - 7,020,780 = 1,633,632 \rightarrow 1,633,600$（百円未満切捨） (2)　納付税額 　　$1,633,600 - 420,500 = 1,213,100$		1,213,100

解説

(1) 課税資産の譲渡等の対価の額は、当事者間で授受することとした対価の額をいいます。したがって、年末のバーゲンセールにおいて定価の60%引きで販売したものは、実際に収受した3,591,800円を計上します。

(2) 保険金及び見舞金は、消費税の課税対象外取引となります。

(3) 控除対象仕入税額は、課税仕入れとなるものを集計して計算した課税仕入れに係る支払対価の額の合計額に$\dfrac{7.8}{110}$を乗じて計算します。

解 答 問題5 納付税額の計算(3)

I 課税標準額に対する消費税額の計算

〔課税標準額〕

計 算 過 程 （単位：円）	金額
商品売上105,516,000＋車両売却432,000＋保養所収入1,020,000＋会員権譲渡1,400,000 ＝108,368,000 $108,368,000 \times \dfrac{100}{110} = 98,516,363 \rightarrow 98,516,000$ 　　　　　　　　　　　　　　（千円未満切捨）	円 98,516,000

〔課税標準額に対する消費税額〕

計 算 過 程 （単位：円）	金額
$98,516,000 \times 7.8\% = 7,684,248$	円 7,684,248

II 仕入れに係る消費税額の計算等

〔控除対象仕入税額〕

計 算 過 程 （単位：円）	金額
商品仕入82,886,000＋運搬費用1,546,000＋通勤定期787,000＋旅行費用857,600＋電話料金401,000 ＋修繕費290,000＋水道光熱365,000＋消耗品182,000＋家賃2,400,000＋交通費1,286,400 ＝91,001,000 $91,001,000 \times \dfrac{7.8}{110} = 6,452,798$	円 6,452,798

III 納付税額の計算

〔納付税額〕

計 算 過 程 （単位：円）	金額
(1)　差引税額 　　　$7,684,248 - 6,452,798 = 1,231,450 \rightarrow 1,231,400$（百円未満切捨） (2)　納付税額 　　　$1,231,400 - 380,400 = 851,000$	円 851,000

解 説

(1)　輸出免税売上高は、課税標準を構成しません。

(2)　受取利息及び社宅使用料収入は、非課税取引となります。

(3)　受取配当金、損害保険金収入及び社宅無償貸付けは、課税対象外取引となります。

(4)　控除対象仕入税額は、課税仕入れとなるものを集計して計算した課税仕入れに係る支払対価の額の合計額に$\dfrac{7.8}{110}$を乗じて計算します。

Chapter 5 | 課税標準及び税率 I | **5-13**

········ *Memorandum   Sheet* ········

Chapter 6

納税義務者Ⅰ

→ 解答・解説 6-5

問題1 　納税義務の有無の判定(1)　　　　　　　　　基本　5分

次の【資料】に基づいて基準期間（令和5年4月1日〜令和6年3月31日）における課税売上高を計算し、当課税期間の納税義務の有無を判定しなさい。なお、当社は前課税期間まで継続して課税事業者であり、金額は税込みである。また、設立以来事業年度の変更は行っていない。

【資料】基準期間における売上高等

(1) 課税商品売上高　　　　　　　　　　　　　　　　8,320,000円

　　（うち輸出免税売上高に係るもの　　　　　　　1,600,000円）

(2) 売上値引　　　　　　　　　　　　　　　　　　　297,600円

　　（うち輸出免税売上高に係るもの　　　　　　　　45,600円）

(3) 貸倒損失　　　　　　　　　　　　　　　　　　　504,000円

　　（すべて課税資産の譲渡等に係る売掛債権の貸倒処理によるもの）

(4) 受取利息　　　　　　　　　　　　　　　　　　　 40,000円

(5) 車両の売却収入　　　　　　　　　　　　　　　1,000,000円

解答欄

I　納税義務の有無の判定

計　算　過　程　　　　　　　　　　　　　　　　（単位：円）
〔基準期間における課税売上高の計算〕

(212)6-2

→ 解答・解説 6-6

| 問題2 | 納税義務の有無の判定(2) | 基本 | 7分 |

当社の各課税期間に係る取引は、次のとおりであった。当課税期間×4 期の基準期間における課税売上高を計算し、納税義務の有無の判定を行いなさい。なお、当社は前課税期間まで継続して課税事業者であり、金額は税込みである。

取引の状況	×1期 令和4年4月1日～ 令和5年3月31日	×2期 令和5年4月1日～ 令和6年3月31日	×3期 令和6年4月1日～ 令和7年3月31日
I 資産の譲渡等の金額	17,214,000 円	17,484,000 円	17,664,000 円
I のうち非課税取引に係るもの	3,432,000 円	4,236,000 円	3,612,000 円
I のうち免税取引に係るもの	1,812,000 円	1,476,000 円	1,704,000 円
II I の売上げに係る対価の返還等	1,026,000 円	1,146,000 円	1,116,000 円
II のうち免税取引に係るもの	144,000 円	138,000 円	140,400 円

解答欄

I 納税義務の有無の判定

計 算 過 程 （単位：円）
〔基準期間における課税売上高の計算〕

Chapter 6 | 納税義務者 I | **6-3** （213）

→ 解答・解説　6-6

問題3　納税義務の有無の判定(3)　　　　　基本　5分

　当社の各課税期間に係る取引は、次のとおりであった。当課税期間の基準期間における課税売上高を計算し、納税義務の有無の判定を行いなさい。また、当社は前課税期間までの各課税期間は小規模事業者に係る納税義務の免除の規定が適用されている。

取引の状況		前々事業年度 令和5年4月1日〜 令和6年3月31日	前事業年度 令和6年4月1日〜 令和7年3月31日
Ⅰ　資産の譲渡等の金額		17,484,000 円	17,664,000 円
	Ⅰのうち非課税取引に係るもの	4,236,000 円	3,612,000 円
	Ⅰのうち免税取引に係るもの	1,476,000 円	1,704,000 円
Ⅱ　Ⅰの売上げに係る対価の返還等		1,146,000 円	1,116,000 円
	Ⅱのうち免税取引に係るもの	138,000 円	140,400 円

解答欄

Ⅰ　納税義務の有無の判定

計　算　過　程　　　　　　　　　　　（単位：円）
〔基準期間における課税売上高の計算〕

(214)**6-4**

解 答 問題1 納税義務の有無の判定(1)

I 納税義務の有無の判定

計 算 過 程 （単位：円）
〔基準期間における課税売上高の計算〕 (1)　$(8,320,000-1,600,000+1,000,000) \times \dfrac{100}{110} + 1,600,000 = 8,618,181$ (2)　$\{(297,600-45,600) - (297,600-45,600) \times \dfrac{7.8}{110} \times \dfrac{100}{78}\} + 45,600$ 　　　$= 274,692$ (3)　$(1)-(2) = 8,343,489$ 　　　$8,343,489 \leqq 10,000,000$ 　∴　納税義務なし

解 説

　基準期間における課税売上高を計算する際には、何を計算に含めるかを適切に分類できるかがポイントです。

　受取利息は非課税取引であるため、(4)40,000円は課税売上げの合計額に含めません。

　一方、車両の売却は、課税取引に該当するので、(5)1,000,000円を課税売上げの合計額に含めます。

　なお、基準期間における課税売上高の計算上、売上値引や売上返品等の課税売上げの対価返還等は計算に反映しますが、貸倒損失は反映しません。

(1)　基準期間における課税売上高

　① 総課税売上高（税抜）

　　課税売上げの合計額（税込）$\times \dfrac{100}{110}$ ＋免税売上げの合計額

　② 課税売上げに係る返還等の金額（税抜）

　　$\left[\begin{array}{l}\text{国内課税売上げに係る} \\ \text{返還等の金額（税込）}\end{array} - \begin{array}{l}\text{国内課税売上げに係る} \\ \text{返還等の金額（税込）}\end{array} \times \dfrac{7.8}{110} \times \dfrac{100}{78}\right]$ ＋ 免税売上げに係る 返還等の金額

　　　　　　　国税7.8%の税額

　　　　国税7.8%の税額＋地方税2.2%の税額＝10%の税額

　③ 基準期間における課税売上高（税抜）

　　①－②

(2)　納税義務の有無の判定

　［判定式］

　　基準期間における課税売上高（税抜）　＞　1,000万円　∴納税義務あり

　　　　　　　　　　　　　　　　　　　≦　1,000万円　∴納税義務なし

Chapter 6｜納税義務者 I｜**6-5**　（215）

| 解答 | 問題2 納税義務の有無の判定(2) |

I　納税義務の有無の判定

計　算　過　程　　　　　　　　　　　（単位：円）

〔基準期間における課税売上高の計算〕

(1)　$(17,484,000-4,236,000-1,476,000) \times \dfrac{100}{110} + 1,476,000 = 12,177,818$

(2)　$\{(1,146,000-138,000) - (1,146,000-138,000) \times \dfrac{7.8}{110} \times \dfrac{100}{78}\} + 138,000$

　　　$= 1,054,365$

(3)　$(1)-(2)=11,123,453$

　　　$11,123,453 > 10,000,000$　　∴　納税義務あり

| 解説 |

　「I資産の譲渡等の金額」の中には、非課税取引に係るもの及び免税取引に係るものが含まれています。これらを適切に処理して基準期間における課税売上高を計算します。

　なお、総課税売上高の計算上、非課税取引に係るものは、$\dfrac{100}{110}$ を乗じる前に資産の譲渡等の金額から差し引きますが、その後加算しません。

| 解答 | 問題3 納税義務の有無の判定(3) |

I　納税義務の有無の判定

計　算　過　程　　　　　　　　　　　（単位：円）

〔基準期間における課税売上高の計算〕

(1)　$17,484,000-4,236,000=13,248,000$

(2)　$1,146,000$

(3)　$(1)-(2)=12,102,000$

　　　$12,102,000 > 10,000,000$　　∴　納税義務あり

| 解説 |

　基準期間において免税事業者であった場合には、基準期間の売上高に消費税が含まれていません。そのため、課税売上高を計算する際には、課税売上げの合計額及び国内課税売上げに係る返還等の金額について税抜処理をしません。

Chapter 7

仕入税額控除Ⅰ

→ 解答・解説 7-18

問題1 課税仕入れの判定 | 基本 | 10分

法人の次に掲げる支出のうち、課税仕入れに該当するものには○を、それ以外のものには×を付しなさい。なお、特に指示がない限り、取引は国内において行われているものとし、商品はすべて課税資産であるものとする。

(1) 借入金の支払利息

(2) 役員給与

(3) 会社負担の労働保険料

(4) 得意先に対する祝金

(5) 従業員の残業手当

(6) 国外出張に関する旅費

(7) 水道代

(8) 土地の購入費用

(9) 商品の購入費用

(10) 免税事業者から購入した機械の購入費用

(11) 一般消費者から購入した乗用車の購入費用

(12) 税理士に支払った顧問料

(13) 商品の国外運送費用

(14) 自動車販売業者に支払った車両の購入の際の書類作成料

(15) 保険会社に支払った保険料

(16) 社宅の賃借料

(17) 贈与した車両の購入代金

(18) 損害賠償金の支払い

(19) 土地の売却にあたって不動産業者に支払った仲介手数料

(20) 法人税の納付額

解答欄

(1)		(2)		(3)		(4)		(5)	
(6)		(7)		(8)		(9)		(10)	
(11)		(12)		(13)		(14)		(15)	
(16)		(17)		(18)		(19)		(20)	

(218) 7-2

→ 解答・解説 7-19

| 問題2 | 控除対象仕入税額の計算（全額控除の場合） | 基本 | 10分 |

次の【資料】に基づき、当社の当課税期間（令和7年4月1日〜令和8年3月31日）の控除対象仕入税額を答案用紙に従って計算しなさい。ただし、当社の当課税期間における課税売上割合は98%、課税売上高（税抜）は280,000,000円である。

【資料】

(1) 当社は経理方式として税込経理方式を採用している。

(2) 取引等は、特に断りのある場合を除き、国内において行われたものである。

(3) 当課税期間の支出に関する資料

① 当期課税商品仕入高　　　　　　　　　　　　　　　　143,280,000円

② 給料・賃金　　　　　　　　　　　　　　　　　　　　73,000,000円

　　なお、上記金額には、従業員の通勤手当1,380,000円が含まれている。

③ 広告宣伝費　　　　　　　　　　　　　　　　　　　　8,280,000円

　　上記の広告宣伝費はすべて国内取引に該当するものである。

④ 支払家賃　　　　　　　　　　　　　　　　　　　　　3,730,000円

　　上記の支払家賃はすべて本社事務所の賃借料である。

⑤ 支払保険料　　　　　　　　　　　　　　　　　　　　2,960,000円

⑥ 支払運賃　　　　　　　　　　　　　　　　　　　　　3,820,000円

　　上記の支払運賃のうち、830,000円は国際運輸に係るものである。

⑦ 水道光熱費　　　　　　　　　　　　　　　　　　　　6,780,000円

⑧ 租税公課　　　　　　　　　　　　　　　　　　　　　2,800,000円

⑨ 通信費（国際通信費250,000円が含まれている。）　　　3,000,000円

解答欄

(1) 課税売上割合　　　　　　　　　　　　　　　　　　　（単位：円）

(2) 課税仕入れに係る消費税額

(3) 控除対象仕入税額

Chapter 7｜仕入税額控除Ⅰ｜ **7-3** （219）

→ 解答・解説　7-19

問題3　課税売上割合の計算　　　　　　　　　　　基本｜15分

問1　A社の当課税期間（令和7年4月1日〜令和8年3月31日）における課税売上割合を次の【資料】
　　により求め、按分計算の必要の有無を判定しなさい。なお、A社は税込経理方式により経理を行っ
　　ており、消費税が課されるものについては、消費税を含んだ金額で示している。また、計算により
　　求めた課税売上割合を％表示にする必要はない。

【資料】

(1)　商品売上高（国内課税売上高）　　　　　　　135,000,000円

　　　商品売上高（輸出免税売上高）　　　　　　　10,000,000円

(2)　建物売却額　　　　　　　　　　　　　　　　30,000,000円

(3)　土地売却額　　　　　　　　　　　　　　　　40,000,000円

(4)　当課税期間の課税売上げの返還等はなかったものとする。

問2　B社の当課税期間（令和7年4月1日〜令和8年3月31日）における課税売上割合を次の【資料】
　　により求め、按分計算の必要の有無を判定しなさい。なお、B社は税込経理方式により経理を行っ
　　ており、消費税が課されるものについては、消費税を含んだ金額で示している。また、計算により
　　求めた課税売上割合を％表示にする必要はない。

【資料】

(1)　国内課税商品売上高　　　　　　　　　　　142,670,000円

　　　当課税期間の売上高に係る対価の返還等が3,300,000円ある。

(2)　輸出免税売上高　　　　　　　　　　　　　 84,000,000円

(3)　有価証券売却収入　　　　　　　　　　　　 80,000,000円

(4)　受取利息　　　　　　　　　　　　　　　　　 300,000円

(5)　受取配当金　　　　　　　　　　　　　　　 1,000,000円

問3　C社の当課税期間（令和7年4月1日〜令和8年3月31日）における課税売上割合を次の【資料】
　　により求め、按分計算の必要の有無を判定しなさい。なお、C社は税込経理方式により経理を行っ
　　ており、消費税が課されるものについては、消費税を含んだ金額で示している。また、計算により
　　求めた課税売上割合を％表示にする必要はない。

【資料】

(1)　国内課税商品売上高　　　　　　　　　　　648,230,000円

　　　この売上高に係る対価の返還等が4,180,000円ある。

(2)　輸出免税売上高　　　　　　　　　　　　　 58,000,000円

(3)　有価証券売却収入　　　　　　　　　　　　100,000,000円

(4)　受取利息　　　　　　　　　　　　　　　　 1,500,000円

(5)　受取配当金　　　　　　　　　　　　　　　　 400,000円

(6)　保険金収入　　　　　　　　　　　　　　　 30,000,000円

(220) 7-4

解答欄

問1

(1) 課税売上高 　　　　　　　　　　　　　　　　　　　　　　　（単位：円）

(2) 非課税売上高

(3) 課税売上割合

問2

(1) 課税売上高 　　　　　　　　　　　　　　　　　　　　　　　（単位：円）

(2) 非課税売上高

(3) 課税売上割合

問3

(1) 課税売上高 　　　　　　　　　　　　　　　　　　　　　　　（単位：円）

(2) 非課税売上高

(3) 課税売上割合

Chapter 7 | 仕入税額控除 I | **7-5**

→ 解答・解説 7-21

問題4 課税仕入れの区分 基本 7分

次に掲げる課税仕入れについて、課税資産の譲渡等にのみ要するものにはＡ、その他の資産の譲渡等にのみ要するものにはＢ、共通して要するものにはＣの記号を記入しなさい。なお、特に指示がない限り取り扱う商品等は課税資産とし、取引等は国内において行われたものとする。

⑴　輸出用商品の仕入代金

⑵　商品の運送料

⑶　商品の広告宣伝費

⑷　商品の運搬に使用する車両の購入代金

⑸　製品製造のための機械の修理代

⑹　株式の売却に係る仲介手数料

⑺　従業員の交通費

⑻　有料保養所の賃借料

⑼　水道光熱費

⑽　有料社宅にするための建物の改修費

⑾　車いす（身体障害者用物品）の配送料

⑿　地方公共団体に寄附したパソコンの購入費用

⒀　製品（課税資産）製造用の材料倉庫の賃借料

⒁　土地の売却に係る仲介手数料

⒂　土地の売却に係る広告宣伝費

解答欄

⑴		⑵		⑶		⑷		⑸	
⑹		⑺		⑻		⑼		⑽	
⑾		⑿		⒀		⒁		⒂	

(222) 7-6

→ 解答・解説　7-21

問題5　個別対応方式(1)　　　　　　　　　　基本　5分

次の【資料】に基づき、個別対応方式による控除対象仕入税額を計算しなさい。なお、当社の当課税期間（令和7年4月1日～令和8年3月31日）における課税売上割合は60％である。

【資料】

当社の課税仕入高は30,000,000円であった。その内訳は次のとおりである。

(1) 課税資産の譲渡等にのみ要するもの　　　　　　　　20,000,000円

(2) その他の資産の譲渡等にのみ要するもの　　　　　　 8,000,000円

(3) 共通して要するもの　　　　　　　　　　　　　　　 2,000,000円

解答欄

(1) 課税売上割合　　　　　　　　　　　　　　　　　　　　　（単位：円）

(2) 区分経理及び税額

　① 課税資産の譲渡等にのみ要するもの

　② その他の資産の譲渡等にのみ要するもの

　③ 共通して要するもの

(3) 控除対象仕入税額

Chapter 7｜仕入税額控除Ⅰ｜ *7-7*　（223）

→ 解答・解説 7-22

問題6　個別対応方式⑵　　　　　　　基本 15分

次の【資料】に基づき、当社の当課税期間（令和7年4月1日～令和8年3月31日）における控除対象仕入税額を計算しなさい。なお、計算にあたっては、以下の事項に留意すること。

⑴　当社は、税込経理方式を採用している。

⑵　課税仕入れ等の税額の控除に係る帳簿及び請求書等は、法令に従って保存されている。

⑶　取引等は、特に断りのある場合を除き、国内において行われたものである。

⑷　仕入れに係る消費税額の計算方法は個別対応方式によるものとする。

⑸　当社は設立以来、課税事業者であり、当課税期間も課税事業者に該当する。

【資料】

⑴　当課税期間の売上げに関する事項

　①　課税売上高（税抜）　　　　270,000,000円

　②　非課税売上高　　　　　　　30,000,000円

⑵　当課税期間の支出に関する事項

　①　課税商品仕入高　　　　　　145,000,000円

　②　課税商品荷造運送費　　　　6,300,000円

　　　上記金額には、運送貨物に係る保険料570,000円が含まれている。それ以外は、すべて課税資産の譲渡等にのみ要するものである。

　③　土地売却支払手数料　　　　300,500円

　④　本社事務所の賃借料　　　　3,410,000円

　⑤　商品保管用倉庫の賃借料　　2,440,000円

　⑥　その他の販売費及び一般管理費　54,924,000円

　　　上記金額はすべて課税仕入れに該当するものであり、課税資産の譲渡等とその他の資産の譲渡等に共通して要する課税仕入れに該当するものとする。

(224) 7-8

解答欄

(1) 課税売上割合 　　　　　　　　　　　　　　　　　　（単位：円）

(2) 区分経理及び税額

　① 課税資産の譲渡等にのみ要するもの

　② その他の資産の譲渡等にのみ要するもの

　③ 共通して要するもの

(3) 控除対象仕入税額

→ 解答・解説 7-24

問題7 個別対応方式(3)　　基本 20分

　文房具（課税資産）の卸売業を営む株式会社甲社（以下「甲社」という）の当課税期間（令和7年4月1日〜令和8年3月31日）に関連する取引の状況は【資料】のとおりであった。これに基づき、当課税期間における納付すべき消費税額を、計算過程を示して求めなさい。なお、計算にあたっては、次の事項を前提とすること。

(1)　甲社は税込経理方式により経理を行っている。なお、課税仕入れ等については、帳簿及び請求書等が適切に保存されている。また、課税仕入れ等の区分は正しく行われているものとする。

(2)　取引等は、特に断りのある場合を除き、国内において行われたものである。

(3)　仕入れに係る消費税額の計算方法は個別対応方式によるものとする。

(4)　甲社は設立以来、課税事業者であり、当課税期間も課税事業者に該当する。

【資料】

(1)　当課税期間の収入に関する事項

　①　商品売上高　　　　　　　　　　　276,000,000円

　　　上記金額のうち、18,200,000円は輸出売上高である。

　②　受取利息　　　　　　　　　　　　370,000円

　③　社宅利用料収入　　　　　　　　　10,680,000円

　④　備品売却収入　　　　　　　　　　2,000,000円

　⑤　株式売却収入　　　　　　　　　　80,000,000円

(2)　当課税期間の支出に関する事項

　①　商品仕入高　　　　　　　　　　　162,202,858円

　②　給料手当　　　　　　　　　　　　40,432,000円

　　　上記金額には、従業員の通勤手当1,722,000円が含まれている。

　③　株式売却手数料　　　　　　　　　30,000円

　④　商品荷造運搬費　　　　　　　　　5,282,000円

　⑤　支払保険料　　　　　　　　　　　3,455,000円

　　　上記金額のうち、1,320,000円は社宅に係る火災保険料である。

　⑥　修繕費用　　　　　　　　　　　　6,870,000円

　　　上記金額のうち、2,960,000円は社宅に係る修繕費用、残額は本社建物に係る修繕費用である。

　⑦　法人税・住民税及び事業税の納付額　14,800,000円

　⑧　商品保管用建物の購入費用　　　　29,000,000円

　⑨　その他の課税仕入れ　　　　　　　35,912,000円

　⑩　上記の②、⑨のうち課税仕入れとなるものについては、課税資産の譲渡等とその他の資産の譲渡等に共通して要するものに該当するものとする。

(226) 7-10

解答欄

I　課税標準額に対する消費税額の計算

〔課税標準額〕

計　算　過　程	（単位：円）
	金 額　　　　　　　　　　　　円

〔課税標準額に対する消費税額〕

計　算　過　程　（単位：円）	金 額	円

II　仕入れに係る消費税額の計算等

〔課税売上割合〕

計　算　過　程	（単位：円）
	課 税 売 上 割 合　　　　　　　円 ――――― 　　　　　　　円

〔控除対象仕入税額〕

計　算　過　程	（単位：円）

〔控除対象仕入税額〕（続き）

計　算　過　程		（単位：円）
	金額	円

Ⅲ　納付税額の計算

〔納付税額〕

計　算　過　程		（単位：円）
	金額	円

→ 解答・解説 7-26

| 問題8 | 総合問題 | 基本 | 20分 |

次の<資料>により、雑貨の卸売業を営む内国法人の当課税期間（令和7年4月1日～令和8年3月31日）における納付すべき消費税額を計算しなさい。なお、仕入れに係る消費税額は個別対応方式により計算を行う。

<資　料>
1.　会計帳簿における経理は、すべて消費税及び地方消費税込みの金額により処理している。

　　なお、当課税期間に行った課税仕入れについては、その事実を明らかにする帳簿及び請求書等が、また輸出取引についてはその証明書類が、それぞれ保存されている。

2.　当課税期間（事業年度）の損益計算書の内訳は、次のとおりである。

損　益　計　算　書

（令和7年4月1日～令和8年3月31日）　　　　（単位：円）

I　商品売上高		488,450,000
II　売上原価		
期首商品棚卸高	61,050,000	
当期商品仕入高	430,060,000	
計	491,110,000	
期末商品棚卸高	55,160,000	435,950,000
売上総利益		52,500,000
III　販売費及び一般管理費		
役員報酬	4,396,000	
従業員給与	20,654,000	
福利厚生費	1,221,000	
荷造運搬費	2,422,000	
広告宣伝費	978,000	
旅費交通費	3,122,000	
会議費	685,000	
事務用消耗品費	989,000	
通信費	1,218,000	
接待交際費	1,450,000	
減価償却費	2,510,000	

Chapter 7 | 仕入税額控除 I | 7-13 （229）

租　税　公　課	1,875,000	
支　払　保　険　料	439,000	
地　代　家　賃	715,000	
水　道　光　熱　費	615,000	43,289,000
営　業　利　益		9,211,000

Ⅳ　営業外収益

受　取　利　息	251,000	
受　取　配　当　金	3,252,000	
社　宅　使　用　料　収　入	5,400,000	
受　取　地　代	5,151,000	14,054,000

Ⅴ　営業外費用

支　払　利　息		1,284,000
経　常　利　益		21,981,000

Ⅵ　特　別　利　益

固　定　資　産　売　却　益		15,377,000

Ⅶ　特　別　損　失

固　定　資　産　売　却　手　数　料		2,582,000
税引前当期純利益		34,776,000

3.　損益計算書の科目の内容等は次のとおりである。

⑴　「商品売上高」のうち、39,070,000円は輸出免税の対象となる取引に係るものであり、非課税取引に係るものは含まれていない。

⑵　「当期商品仕入高」には、輸出用商品の仕入れに係るもの31,200,000円が含まれている。

⑶　「福利厚生費」のうち、733,000円は社会保険料である。残額は課税仕入れとなる。

⑷　「荷造運搬費」「広告宣伝費」は、その全額が国内における商品売上高に係る課税仕入れである。

⑸　「通信費」のうち、360,000円は海外企業との間の国際電話料金である。

⑹　「接待交際費」には、慶弔に伴う祝金、見舞金の現金による支出額250,000円が含まれており、残額はすべて課税仕入れである。

⑺　地代家賃は社宅の借上料である。

⑻　販売費及び一般管理費のうち「福利厚生費」「旅費交通費」「会議費」「事務用消耗品費」「通信費」「接待交際費」及び「水道光熱費」のうち課税仕入れとなるものは、課税資産の譲渡等とその他の資産の譲渡等に共通して要する課税仕入れに該当するものとし、「旅費交通費」「会議費」「事務用消耗品費」「水道光熱費」は、全額が課税仕入れに該当する。

(9) 「受取利息」は、事業用資金を国内の銀行に預け入れたことにより受取ったものである。

(10) 「受取配当金」は、所有株式に係る剰余金の配当である。

(11) 「社宅使用料収入」は、(7)の社宅に係るものである。

(12) 「受取地代」は、駐車場経営者に対する駐車場用地（更地）の賃貸料収入である。なお、その賃貸期間は 10 年である。

(13) 「固定資産売却益」は、当社所有の土地を 80,000,000 円（帳簿価額 64,623,000 円）で譲渡したことにより生じたものである。

(14) 「固定資産売却手数料」は、(13)の譲渡に係るものである。

4. 基準期間における課税売上高は、326,000,000 円である。

5. 当課税期間中に、中間申告により納付した消費税額はない。

解答欄

I 納税義務の有無の判定

計　算　過　程	（単位：円）

II 課税標準額に対する消費税額の計算

〔課税標準額〕

計　算　過　程	（単位：円）
金額	円

〔課税標準額に対する消費税額〕

計　算　過　程　　　（単位：円）	金額	円

III 仕入れに係る消費税額の計算等

〔課税売上割合〕

計　算　過　程	（単位：円）
課税売上割合	円 ——— 円

（232）**7-16**

〔控除対象仕入税額〕

計　算　過　程　　　　　　　　　　　　　　　（単位：円）

| | 金額 | 円 |

Ⅳ　納付税額の計算

〔納付税額〕

計　算　過　程　　　　　　　　　　　　　　　（単位：円）

| | 金額 | 円 |

解答 問題1 課税仕入れの判定

(1)	×	(2)	×	(3)	×	(4)	×	(5)	×
(6)	×	(7)	○	(8)	×	(9)	○	(10)	○
(11)	○	(12)	○	(13)	×	(14)	○	(15)	×
(16)	×	(17)	○	(18)	×	(19)	○	(20)	×

解説

　課税仕入れに該当するか否かをすべて覚えることはできませんので、要件と取引の内容を照らし合わせながら、判断できるようにしましょう。

(1) 利息の支払いは非課税仕入れのため、課税仕入れには該当しません。

(2) 給与は、課税仕入れには該当しません。

(3) 労働保険料の支払いは非課税仕入れであるため、課税仕入れには該当しません。

(4) 慶弔金や寄附金は対価性がないため、課税仕入れには該当しません。

(5) 手当も原則として給与のうちで、給与は、課税仕入れには該当しません。

(6) 国外出張に関する旅費は免税仕入れとなるため、課税仕入れには該当しません。

(7) 水道代は、課税仕入れに該当します。

(8)(19) 土地の購入は非課税仕入れであるため、課税仕入れには該当しません。しかし、それに付随する仲介手数料は相手方で課税売上げとなるため、課税仕入れに該当します。

(9)(10)(11) 取引の相手方には、課税事業者だけではなく免税事業者も一般消費者も含まれます。そのため、課税資産の購入は、取引の相手方にかかわらず課税仕入れに該当します。

(12) 税理士の顧問料は給与等ではなく、役務の提供の対価であるため課税仕入れに該当します。

(13) 国外取引であるため、課税仕入れには該当しません。

(14) 相手方で課税売上げとなるため、課税仕入れに該当します。

(15)(16) 対価を受け取る側において非課税取引であるため、課税仕入れには該当しません。

(17) 車両の購入時において、相手方で課税売上げとなるため、課税仕入れに該当します。

(18) 損害賠償金は対価性がないため、課税仕入れには該当しません。

(20) 法人税の納付は対価性がないため、課税仕入れには該当しません。

解答　問題2　控除対象仕入税額の計算（全額控除の場合）

(1)　課税売上割合　　　　　　　　　　　　　　　　　　　　　（単位：円）

98% ≧ 95%

$280,000,000 ≦ 500,000,000$　　∴　按分計算は不要

(2)　課税仕入れに係る消費税額

商品仕入143,280,000＋通勤手当1,380,000＋広告宣伝8,280,000

＋家賃3,730,000＋運賃(3,820,000－830,000)＋水道光熱6,780,000

＋通信費(3,000,000－250,000)＝169,190,000

$169,190,000 × \dfrac{7.8}{110} = 11,997,109$

(3)　控除対象仕入税額

11,997,109

解説

　本問では、課税売上割合が95%以上であり、課税売上高（税抜）が5億円以下であるため、按分計算は不要となります。

① 　給料・賃金は不課税仕入れですが、通勤手当は基本的に課税仕入れとなります。

② 　保険料は非課税仕入れであるため、課税仕入れには含めません。

③ 　国際運輸に係る運賃及び国際通信に係る通信費は免税仕入れであるため、課税仕入れには含めません。

④ 　租税公課は対価性がないことから、課税仕入れには含めません。

解答　問題3　課税売上割合の計算

問1

(1)　課税売上高　　　　　　　　　　　　　　　　　　　　　（単位：円）

(商品売上135,000,000＋建物売却30,000,000)$× \dfrac{100}{110}$ ＋免税売上10,000,000

＝160,000,000

(2)　非課税売上高

土地売却　　40,000,000

(3)　課税売上割合

$\dfrac{(1)}{(1)+(2)} = \dfrac{160,000,000}{200,000,000} = 0.80 < 95\%$　　∴　按分計算が必要

問2

(1)　課税売上高　　　　　　　　　　　　　　　　　　　　　（単位：円）

① 　商品売上142,670,000$× \dfrac{100}{110}$ ＋免税売上84,000,000＝213,700,000

② 　$3,300,000 - 3,300,000 × \dfrac{7.8}{110} × \dfrac{100}{78} = 3,000,000$

③ 　①－②＝210,700,000

(2)　非課税売上高

有価証券売却80,000,000× 5 ％＋受取利息300,000＝4,300,000

Chapter 7 | 仕入税額控除 I | **7-19** （235）

(3) 課税売上割合

$$\frac{(1)}{(1)+(2)}=\frac{210,700,000}{215,000,000}=0.98 \geqq 95\%$$

$$210,700,000 \leqq 500,000,000 \quad \therefore \quad 按分計算は不要$$

問3

(1) 課税売上高　　　　　　　　　　　　　　　　　　　　　　　　（単位：円）

①　商品売上648,230,000×$\frac{100}{110}$＋免税売上58,000,000＝647,300,000

②　4,180,000－4,180,000×$\frac{7.8}{110}$×$\frac{100}{78}$＝3,800,000

③　①－②＝643,500,000

(2) 非課税売上高

有価証券売却100,000,000×5％＋受取利息1,500,000＝6,500,000

(3) 課税売上割合

$$\frac{(1)}{(1)+(2)}=\frac{643,500,000}{650,000,000}=0.99 \geqq 95\%$$

$$643,500,000 > 500,000,000 \quad \therefore \quad 按分計算が必要$$

解　説

　課税売上割合の計算にあたっては、消費税が含まれている課税売上げや課税売上げに係る対価の返還等の金額を税抜きの金額になおす点がポイントとなります。反対に、非課税売上高や免税売上高は消費税が含まれていないため、税抜きの金額になおす必要はありません。

　また、非課税売上高のうち株式（有価証券等）の売却額については、5％を乗じるのを忘れないようにしましょう。

問1　「土地売却額」は非課税売上高となります。

問2　(3)の「有価証券売却収入」は5％を乗じた金額を非課税売上高に加えます。また、(4)の「受取利息」も非課税売上高となります。

　　(5)の「受取配当金」は不課税売上げなので、課税売上割合の計算には関係しません。

　　なお、当課税期間の課税売上割合が95％以上であり、かつ、課税売上高が5億円以下であるため、控除対象仕入税額の按分計算は不要となります。

問3　(3)の「有価証券売却収入」は5％を乗じた金額を非課税売上高に加えます。また、(4)の「受取利息」も非課税売上高となります。

　　(5)の「受取配当金」と(6)の「保険金収入」は不課税売上げなので、課税売上割合の計算には関係しません。

　　なお、課税売上割合が95％以上であっても、当課税期間の課税売上高が5億円を超えているため、控除対象仕入税額の按分計算が必要となります。

解答　問題4　課税仕入れの区分

(1)	A	(2)	A	(3)	A	(4)	A	(5)	A
(6)	B	(7)	C	(8)	A	(9)	C	(10)	B
(11)	B	(12)	C	(13)	A	(14)	B	(15)	B

解説

　課税仕入れの区分にあたっては、「対応する売上げ」が7.8%課税売上げ又は免税売上げなのか、非課税売上げなのかを考えましょう。また、実際の試験問題等では、これに加えて免税仕入れや非課税仕入れ、不課税仕入れも資料に含まれていますので、冷静に取引を見極めるようにしましょう。

(1)　販売すると免税売上げとなる商品の仕入代金は、課税資産の譲渡等にのみ要するものに区分します。

(2)(3)(4)(5)　販売すると課税売上げとなる商品、製品に係る運送料、広告宣伝費、車両の購入代金及び機械の修理代は、課税資産の譲渡等にのみ要するものに区分します。

(6)　株式の売却は非課税売上げなので、そのために支払った仲介手数料は、その他の資産の譲渡等にのみ要するものに区分します。

(7)　一般的に従業員に係る課税仕入れは共通して要するものに区分します。

(8)　保養所の賃貸収入は課税売上げに該当するため、その賃借料は課税資産の譲渡等にのみ要するものに区分します。

(9)　水道光熱費は、会社全体に係るものであるため、共通して要するものに区分します。

(10)　社宅の賃貸収入は非課税売上げなので、その建物の改修費は、その他の資産の譲渡等にのみ要するものに区分します。

(11)　身体障害者用物品の売上げは、非課税売上げとなります。したがって、その配送料は、その他の資産の譲渡等にのみ要するものに区分します。

(12)　寄附するための資産の購入は、売上げとの関係が明確でないため、課税仕入れは共通して要するものに区分します。

(13)　倉庫の賃借料は材料の保管のためのものであり、製品の製造販売に関連するため課税資産の譲渡等にのみ要するものに区分します。

(14)(15)　土地の売却は非課税売上げになります。そのため、その売却に係る仲介手数料や広告宣伝費は非課税売上げに対応する課税仕入れとなるので、その他の資産の譲渡等にのみ要するものに区分します。

解答　問題5　個別対応方式(1)

(1)　課税売上割合　　　　　　　　　　　　　　　　　　　　　　　　（単位：円）

　　　60%＜95%　　∴　按分計算が必要

(2)　区分経理及び税額

　　①　課税資産の譲渡等にのみ要するもの

$$20,000,000 \times \frac{7.8}{110} = 1,418,181$$

Chapter 7｜仕入税額控除Ⅰ｜**7-21**　（237）

② その他の資産の譲渡等にのみ要するもの

$$8,000,000 \times \frac{7.8}{110} = 567,272$$

③ 共通して要するもの

$$2,000,000 \times \frac{7.8}{110} = 141,818$$

(3) 控除対象仕入税額

$$1,418,181 + 141,818 \times 60\% = 1,503,271$$

解説

個別対応方式では課税仕入れを3つに区分し、それぞれの区分に係る課税仕入れに110分の7.8を乗じて税額を計算します。

そのうち、課税資産の譲渡等にのみ要するものについては全額を控除の対象とし、共通して要するものは課税売上割合を乗じた部分のみ控除対象仕入税額に含めます。

その他の資産の譲渡等にのみ要するものについては、控除の対象にはなりません。

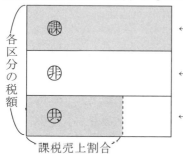

← 課税売上げにのみ対応する部分なので、全額控除できる

← 非課税売上げにのみ対応する部分なので、全額控除の対象にならない

← 共通して対応する部分なので、課税売上割合を乗じて課税売上げに対応する範囲を控除できる

解答 問題6 個別対応方式(2)

(1) 課税売上割合　　　　　　　　　　　　　　　　　　　　（単位：円）

$$\frac{270,000,000}{270,000,000 + 30,000,000} = \frac{270,000,000}{300,000,000} = 0.9 < 95\%$$

∴ 按分計算が必要

(2) 区分経理及び税額

① 課税資産の譲渡等にのみ要するもの

商品仕入145,000,000 + 運送費(6,300,000 − 570,000)
+ 倉庫賃借料2,440,000 = 153,170,000

$$153,170,000 \times \frac{7.8}{110} = 10,861,145$$

② その他の資産の譲渡等にのみ要するもの

土地売却手数料　300,500

$$300,500 \times \frac{7.8}{110} = 21,308$$

③ 共通して要するもの

事務所賃借料3,410,000 + その他54,924,000 = 58,334,000

$$58,334,000 \times \frac{7.8}{110} = 4,136,410$$

(3)　控除対象仕入税額

　　10,861,145＋4,136,410×0.9＝14,583,914

解　説

1　課税売上割合について

　　本問では課税売上割合が95％未満であるため、按分計算が必要となります。なお、課税売上割合が割り切れない場合には、特に指示がない限り、端数処理をせずに計算を行います。そのため、按分計算が必要か否かの判定にあたっては、95％以上か否かがわかるように小数点で表示していますが、実際に課税売上割合を乗じる場面のために、分数で表示しておきます。

2　課税仕入れと区分について

⑴　運送貨物に係る保険料は非課税仕入れとなるため、課税仕入れに含めません。

⑵　土地の売却のために支払った手数料は、非課税売上げのための課税仕入れなのでその他の資産の譲渡等にのみ要するものに区分します。

⑶　賃借料のうち、本社に関係するものは共通して要するものに、商品に関係するものは課税売上げに対応するため課税資産の譲渡等にのみ要するものに区分します。

⑷　その他の販売費及び一般管理費は、指示に従って共通して要するものに区分します。

Chapter 7｜仕入税額控除Ⅰ｜**7-23**　（239）

解 答　問題7　個別対応方式(3)

I　課税標準額に対する消費税額の計算

〔課税標準額〕

計　算　過　程		（単位：円）
商品売上（276,000,000－18,200,000）＋備品売却2,000,000＝259,800,000 $259,800,000 \times \dfrac{100}{110} = 236,181,818 \rightarrow 236,181,000$（千円未満切捨）		
	金 額	円 236,181,000

〔課税標準額に対する消費税額〕

計　算　過　程	（単位：円）	金 額	円
$236,181,000 \times 7.8\% = 18,422,118$			18,422,118

II　仕入れに係る消費税額の計算等

〔課税売上割合〕

計　算　過　程		（単位：円）
(1)　課税売上高 　　国内売上236,181,818＋免税売上18,200,000＝254,381,818 (2)　非課税売上高 　　受取利息370,000＋社宅収入10,680,000＋株式売却収入80,000,000×5％＝15,050,000 (3)　課税売上割合 　　$\dfrac{(1)}{(1)+(2)} = \dfrac{254,381,818}{269,431,818} = 0.9441\cdots < 95\%$ 　　∴　按分計算が必要	課 税 売 上 割 合	$\dfrac{254,381,818 \quad 円}{269,431,818 \quad 円}$

〔控除対象仕入税額〕

計　算　過　程	（単位：円）
(1)　区分経理及び税額 　①　課税資産の譲渡等にのみ要するもの 　　　商品仕入162,202,858＋運搬費5,282,000＋建物購入29,000,000＝196,484,858 　　　$196,484,858 \times \dfrac{7.8}{110} = 13,932,562$ 　②　その他の資産の譲渡等にのみ要するもの 　　　株式手数料30,000＋修繕費2,960,000＝2,990,000	

（240）**7-24**

〔控除対象仕入税額〕（続き）

計　算　過　程	（単位：円）

$2,990,000 \times \dfrac{7.8}{110} = 212,018$

③　共通して要するもの

通勤手当 $1,722,000+$ 修繕費 $(6,870,000-2,960,000)+$ その他 $35,912,000=41,544,000$

$41,544,000 \times \dfrac{7.8}{110} = 2,945,847$

⑵　控除対象仕入税額

$13,932,562+2,945,847 \times \dfrac{254,381,818}{269,431,818} = 16,713,859$	金額	円 16,713,859

Ⅲ　納付税額の計算

〔納付税額〕

計　算　過　程	（単位：円）

⑴　差引税額

$18,422,118-16,713,859=1,708,259 \rightarrow 1,708,200$（百円未満切捨）

⑵　納付税額

1,708,200	金額	円 1,708,200

解説

　本問の形式は、本試験に出題されるような総合問題を最も簡略化させたような形になっています。取引の分類や計算の流れがポイントとなります。

1　非課税売上高と課税売上割合について

　　非課税売上高を計算する際に、株式売却収入に5％を乗じるのを忘れないようにしましょう。

2　課税仕入れと区分について

⑴　給料手当は不課税仕入れですが、通勤手当は課税仕入れに該当します。また、問題文の指示により、共通して要するものに区分します。

⑵　株式売却手数料は株式売却収入に対するものであるため、その他の資産の譲渡等にのみ要するものに区分します。

⑶　商品荷造運搬費は課税売上げに対するものであるため、課税資産の譲渡等にのみ要するものに区分します。

⑷　保険料の支払いは非課税仕入れとなるため、課税仕入れに該当しません。

⑸　修繕費用は課税仕入れとなります。このうち、本社に係るものは共通して要するものに区分します。一方、社宅に係る修繕費用は社宅利用料収入に対するものであるため、その金額はその他の資産の譲渡等にのみ要するものに区分します。

⑹　法人税等の納付額は対価性がない支出のため、課税仕入れに該当しません。

⑺　商品保管用建物の購入費用は商品売上高に対する課税仕入れであるため、課税資産の譲渡等にのみ要するものに区分します。

⑻　その他の課税仕入れは、問題文の指示により共通して要するものに区分します。

Chapter 7｜仕入税額控除 I｜**7-25**　（241）

解答 問題8 総合問題

I 納税義務の有無の判定

計 算 過 程	（単位：円）
基準期間における課税売上高　326,000,000 326,000,000 ＞ 10,000,000　∴　納税義務あり	

II 課税標準額に対する消費税額の計算

〔課税標準額〕

計 算 過 程	（単位：円）
商品売上488,450,000－39,070,000＝449,380,000 $449,380,000×\dfrac{100}{110}＝408,527,272 → 408,527,000$　（千円未満切捨）	

	金 額	円 408,527,000

〔課税標準額に対する消費税額〕

計 算 過 程　　　（単位：円）	金 額	円 31,865,106
408,527,000×7.8％＝31,865,106		

III 仕入れに係る消費税額の計算等

〔課税売上割合〕

計 算 過 程	（単位：円）
(1)　課税売上高 　　国内売上408,527,272＋免税売上39,070,000＝447,597,272 (2)　非課税売上高 　　受取利息251,000＋社宅収入5,400,000＋受取地代5,151,000＋土地譲渡80,000,000＝90,802,000 (3)　課税売上割合	

$\dfrac{(1)}{(1)+(2)}＝\dfrac{447,597,272}{538,399,272}＝0.8313\cdots ＜ 95\%$ 　∴　按分計算が必要	課税売上割合	$\dfrac{447,597,272}{538,399,272}$	円 円

(242) **7-26**

〔控除対象仕入税額〕

計 算 過 程		（単位：円）

(1) 区分経理及び税額

   ① 課税資産の譲渡等にのみ要するもの

     商品仕入 430,060,000＋運搬費 2,422,000＋広告宣伝 978,000＝433,460,000

$$433,460,000 \times \frac{7.8}{110} = 30,736,254$$

   ② その他の資産の譲渡等にのみ要するもの

     固定資産売却手数料　　2,582,000

$$2,582,000 \times \frac{7.8}{110} = 183,087$$

   ③ 共通して要するもの

     福利厚生（1,221,000－733,000）＋旅費交通 3,122,000＋会議費 685,000＋消耗品 989,000

     ＋通信費（1,218,000－360,000）＋接待交際（1,450,000－250,000）＋水道光熱 615,000

     ＝7,957,000

$$7,957,000 \times \frac{7.8}{110} = 564,223$$

(2) 控除対象仕入税額

$30,736,254 + 564,223 \times \dfrac{447,597,272}{538,399,272} = 31,205,319$	金額	円 31,205,319

IV 納付税額の計算

〔納付税額〕

計 算 過 程		（単位：円）

(1) 差引税額

   31,865,106－31,205,319＝659,787　→　659,700（百円未満切捨）

(2) 納付税額

659,700	金額	円 659,700

解説

(1) 輸出用商品の仕入れは、売手側が7.8％課税売上げを計上する（輸出免税の規定は適用されない）ことから、国内課税仕入れに該当する。

(2) 社会保険料は、受取側で非課税売上げが計上されることから、課税仕入れとならない。

(3) 国際電話料金は、受取側で輸出免税の規定が適用されることから、課税仕入れとならない。

⑷　慶弔に伴う祝金、見舞金は、受取側で消費税の課税対象外取引として取り扱われるため、課税仕入れとならない。

⑸　社宅の借上料は、受取側で住宅の貸付けとして非課税売上げが計上されることから、課税仕入れとならない。

⑹　課税仕入れの区分

　①　課税資産の譲渡等にのみ要するもの

　　　商品仕入高、荷造運搬費、広告宣伝費

　②　その他の資産の譲渡等にのみ要するもの

　　　固定資産（土地）売却手数料

　③　共通して要するもの

　　　福利厚生費、旅費交通費、会議費、事務用消耗品費、通信費、接待交際費、水道光熱費

Chapter 8

売上げに係る対価の返還等Ⅰ

→ 解答・解説 8-7

問題1 売上げに係る対価の返還等(1) | 基本 | 7分

次の【資料】に基づいて、当課税期間（令和7年4月1日～令和8年3月31日）の納付すべき消費税額を計算過程を示して求めなさい。なお、当社は当課税期間まで継続して課税事業者であり、金額は税込みである。また、当課税期間の課税売上割合は95％以上であり、課税仕入れ等の税額は全額控除できるものとする。

【資料】

(1) 売上高　　　　　　　　　　　　　　　　　　　　　　　　　　　　400,000,000円

　　内訳は以下のとおりである。

　① 国内の取引先に対する課税売上高　　　　　360,000,000円

　② 国外の取引先に対する輸出売上高　　　　　 40,000,000円

(2) 売上値引戻り（当課税期間の売上げに係るもの）　　　　　　　　　650,000円

　　内訳は以下のとおりである。

　① 国内の取引先に対する課税売上高に係るもの　530,000円

　② 国外の取引先に対する輸出売上高に係るもの　120,000円

(3) 当期商品仕入高　　　　　　　　　　　　　　　　　　　　　　272,600,000円

(4) 中間納付税額　　　　　　　　　　　　　　　　　　　　　　　 1,500,000円

解答欄

(1) 課税標準額	（単位：円）
(2) 課税標準額に対する消費税額	
(3) 控除対象仕入税額	
(4) 売上げに係る対価の返還等に係る消費税額	
(5) 控除税額小計	
(6) 差引税額	
(7) 納付税額	

(246) 8-2

→ 解答・解説　8-7

| 問題2 | 売上げに係る対価の返還等(2) | 基本 | 5分 |

次の【資料】に基づいて、当課税期間（令和7年4月1日〜令和8年3月31日）の売上げに係る対価の返還等に係る消費税額を求めなさい。なお、当社は当課税期間まで継続して課税事業者であり、金額は税込みである。

【資料】

1　当社の当課税期間の損益計算書は次のとおりである。

損　益　計　算　書　　　　　（単位：円）

I	売　　上　　高	
	総　売　上　高	627,400,000
	売 上 値 引 戻 り 高	3,560,000
	売　上　割　戻	7,271,000
	：	
V	営　業　外　費　用	
	売　　上　　割　　引	280,000
	：	
VII	特　別　損　失	
	固 定 資 産 売 却 損	1,000,000
	：	

2　損益計算書の内容に関して付記すべき事項は、次のとおりである。

(1)　売上値引戻り高の内訳は以下のとおりである。

① 売上値引2,450,000円（すべて、当課税期間の国内の課税売上げに係るものである）

② 売上戻し1,110,000円（そのうち、480,000円は輸出売上げから生じたものである。なお、残額については当課税期間の国内の課税売上げに係るものである。）

(2)　売上割戻は、すべて当課税期間の国内の課税売上げに係るものである。

(3)　売上割引は、当課税期間の課税商品の売掛金に係るものである。

3　その他に、当課税期間に行った土地の譲渡に係る値引き2,500,000円がある。

解答欄

	円

Chapter 8｜売上げに係る対価の返還等 I　*8-3*　（247）

→ 解答・解説　8-8

| 問題3 | 控除税額小計 | 基本 | 15分 |

次の資料に基づき、当課税期間（令和7年4月1日～令和8年3月31日）の控除税額を計算しなさい。なお、当社は税込経理を採用している。また、控除対象仕入税額の計算は継続して個別対応方式を採用しており、当課税期間においても個別対応方式により計算するものとする。

1. 当課税期間の損益計算書

損　益　計　算　書　（一部）　　（単位：千円）

商 品 仕 入 高 （注2）	626,400	商 品 売 上 高 （注1）	1,044,900
販 　売　 費 （注3）	75,400	受 取 利 息 （注7）	142
一 般 管 理 費 （注4）	86,590	受 取 配 当 金 （注8）	3,200
売 上 値 引 （注5）	1,296	土 地 譲 渡 益 （注9）	204,200
売 上 割 引 （注6）	943	：	
：			

（注1）　家電製品の販売に係るものであり、輸出免税取引に該当するものはない。

（注2）　商品仕入高は、全額国内の適格請求書発行事業者からの購入に係るものである。

（注3）　販売費は、全額が課税資産の譲渡等にのみ要する課税仕入れである。

（注4）　一般管理費には、土地の譲渡に際し不動産業者へ支払った仲介手数料9,000,000円が含まれており、残額は課税資産の譲渡等とその他の資産の譲渡等に共通して要する課税仕入れである。

（注5）　売上値引は、当課税期間の商品売上げに係るものである。

（注6）　売上割引は、当課税期間に生じた商品売上げに係る売掛金を支払期日前に支払を受けたため、相手方に支払ったものである。

（注7）　受取利息は、国内銀行の預金に対するものである。

（注8）　受取配当金は、保有株式に係る配当金の受取額である。

（注9）　土地譲渡益は、譲渡対価284,200,000円と帳簿価額80,000,000円との差額を計上したものである。

　　　　なお、土地の譲渡については、取引後に2,678,000円の値引が生じているが、未処理となっている。

(248)8-4

解答欄

1. 課税売上割合　　　　　　　　　　　　　　　　　　　　　　　（単位：円）

　(1)　課税売上高

　　①　課税売上額

　　②　①の返還等対価の額

　　③　①－②＝

　(2)　非課税売上高

　　①　非課税売上額

　　②　①の返還等対価の額

　　③　①－②＝

　(3)　課税売上割合

2. 控除対象仕入税額

　(1)　区分経理及び税額

　　①　課税資産の譲渡等にのみ要するもの

　　②　その他の資産の譲渡等にのみ要するもの

　　③　共通して要するもの

⑵　控除対象仕入税額

3.　売上げの返還等対価に係る税額

4.　控除税額小計

| 解 答 | 問題1　売上げに係る対価の返還等(1) |

(1)　課税標準額　　　　　　　　　　　　　　　　　　　　　　　　　　　　　　（単位：円）

$$360,000,000 \times \frac{100}{110} = 327,272,727 \rightarrow 327,272,000 \text{（千円未満切捨）}$$

(2)　課税標準額に対する消費税額

$$327,272,000 \times 7.8\% = 25,527,216$$

(3)　控除対象仕入税額

$$272,600,000 \times \frac{7.8}{110} = 19,329,818$$

(4)　売上げに係る対価の返還等に係る消費税額

$$530,000 \times \frac{7.8}{110} = 37,581$$

(5)　控除税額小計

$$19,329,818 + 37,581 = 19,367,399$$

(6)　差引税額

$$25,527,216 - 19,367,399 = 6,159,817 \rightarrow 6,159,800 \text{（百円未満切捨）}$$

(7)　納付税額

$$6,159,800 - 1,500,000 = 4,659,800$$

| 解 説 |

1　売上げに係る対価の返還等に係る消費税額は以下の算式に基づいて計算します。

$$\text{売上げに係る税込対価} \\ \text{の返還等の金額の合計額} \times \frac{7.8}{110} = \text{売上げに係る対価の返還} \\ \text{等に係る消費税額}$$

2　売上値引戻りのうち、輸出売上高に係るもの120,000円は、輸出免税等の規定により<u>販売時に消費税が免除されている</u>ため、売上げに係る対価の返還等に係る消費税額の控除の規定は適用しません。

3　売上げに係る対価の返還等に係る消費税額は、控除税額小計に含めます。

| 解 答 | 問題2　売上げに係る対価の返還等(2) |

| 753,834 | 円

| 解 説 | （単位：円）

1　売上げに係る対価の返還等に該当するものには、以下のものがあります。

項目	内容
売上返品・値引き	売上商品が返品されることによる返金、約定違反等により、売上金額の減額をしたもの
売上割戻し （リベート）	一定期間に一定額又は一定量の取引をした取引先に対する代金の一部返戻（リベート）
売上割引 （基通14－1－4）	売掛金等が支払期日の前に決済されたことにより取引先に支払うもの

Chapter 8│売上げに係る対価の返還等 I　│8-7　（251）

本問では、売上返品・値引き、売上割戻し、売上割引を出題しています。売上割引も範囲に含まれる点に注意しましょう。

$$2,450,000 + (1,110,000 - 480,000) + 7,271,000 + 280,000 = 10,631,000$$

$$10,631,000 \times \frac{7.8}{110} = 753,834$$

2 税額の控除の適用がない取引

以下の取引は、消費税が課されていないため税額控除の規定を適用しません。

①	輸出免税売上げに係る返還等
②	非課税売上げに係る返還等
③	不課税売上げに係る返還等

本問では、売上戻しのうち輸出売上げから生じた480,000円が輸出免税売上げに係る返還等に該当し、土地の譲渡に係る値引き2,500,000円が非課税売上げに係る返還等に該当するため、売上げに係る対価の返還等に係る消費税額の計算には含めません。

解 答　問題3 控除税額小計

1. 課税売上割合　　　　　　　　　　　　　　　　　　　　　　　　（単位：円）

　⑴　課税売上高

　　①　課税売上額

$$1,044,900,000 \times \frac{100}{110} = 949,909,090$$

　　②　①の返還等対価の額

売上値引 $1,296,000 +$ 売上割引 $943,000 = 2,239,000$

$$2,239,000 - 2,239,000 \times \frac{7.8}{110} \times \frac{100}{78} = 2,035,456$$

　　③　①－②＝947,873,634

　⑵　非課税売上高

　　①　非課税売上額

受取利息 $142,000 +$ 土地譲渡 $284,200,000 = 284,342,000$

　　②　①の返還等対価の額　　2,678,000

　　③　①－②＝281,664,000

　⑶　課税売上割合

$$\frac{⑴}{⑴+⑵} = \frac{947,873,634}{1,229,537,634} = 0.7709\cdots < 95\%$$

　　∴　按分計算が必要

2. 控除対象仕入税額

 (1) 区分経理及び税額

  ① 課税資産の譲渡等にのみ要するもの

   商品仕入 626,400,000＋販売費 75,400,000＝701,800,000

   $701,800,000 \times \dfrac{7.8}{110} = 49,764,000$

  ② その他の資産の譲渡等にのみ要するもの

   仲介手数料　9,000,000

   $9,000,000 \times \dfrac{7.8}{110} = 638,181$

  ③ 共通して要するもの

   一般管理費　86,590,000－9,000,000＝77,590,000

   $77,590,000 \times \dfrac{7.8}{110} = 5,501,836$

 (2) 控除対象仕入税額

   $49,764,000 + 5,501,836 \times \dfrac{947,873,634}{1,229,537,634} = 54,005,468$

3. 売上げの返還等対価に係る税額

   $2,239,000 \times \dfrac{7.8}{110} = 158,765$

4. 控除税額小計

   $54,005,468 + 158,765 = 54,164,233$

········ *Memorandum Sheet* ········

Chapter 9

貸倒れに係る消費税額の控除等Ⅰ

→ 解答・解説 9-12

問題1 | 貸倒れに係る消費税額の控除⑴ | 基本 | 5分

　次の【資料】に基づき、当課税期間（令和7年4月1日〜令和8年3月31日）の貸倒れに係る消費税額を計算しなさい。なお、当社は当課税期間まで継続して課税事業者である。また、与えられた取引はすべて国内取引の要件を満たすものである。

【資料】

当課税期間に貸倒れた債権額26,292,000円の内訳：

⑴　当課税期間に行った国内課税売上げの売掛金　　　　　　　　2,100,000円

⑵　当課税期間に行った輸出免税売上げの売掛金　　　　　　　　672,000円

⑶　当課税期間に行った上場株式の譲渡に係る未収金　　　　　　2,520,000円

⑷　当課税期間に貸し付けた貸付金　　　　　　　　　　　　　　4,200,000円

⑸　当課税期間に譲渡した居住用建物の未収金　　　　　　　　16,800,000円

解答欄

貸倒れに係る消費税額　[　　　　　　　　]円

→ 解答・解説 9-12

問題2 | 控除過大調整税額 | 基本 | 5分

　次の【資料】に基づき、当課税期間（令和7年4月1日〜令和8年3月31日）の控除過大調整税額を計算しなさい。なお、当社は当課税期間まで継続して課税事業者である。また、与えられた取引はすべて国内取引の要件を満たすものである。

【資料】

当課税期間に回収した債権額6,468,000円の内訳：

⑴　前課税期間（令和6年4月1日〜令和7年3月31日）に貸倒処理していた輸出免税売上げの売掛金

　　　　　　　　　　　　　　　　　　　　　　　　　　　　　　3,360,000円

⑵　前々課税期間（令和5年4月1日〜令和6年3月31日）に貸倒処理していた前々々課税期間（令和4年4月1日〜令和5年3月31日）中に行われた事業用車両の譲渡に係る未収金

　　　　　　　　　　　　　　　　　　　　　　　　　　　　　　2,520,000円

⑶　前々課税期間に貸倒処理していた受取利息の未収金　　　　　84,000円

⑷　前々課税期間に貸倒処理していた前々々課税期間の4月〜7月までの駐車場施設の賃貸料

　　　　　　　　　　　　　　　　　　　　　　　　　　　　　　504,000円

解答欄

控除過大調整税額　[　　　　　　　　]円

（256）9-2

→ 解答・解説　9-13

| 問題3 | 総合問題(1) | 基本 | 15分 |

次の【資料】に基づき、当課税期間（令和7年4月1日～令和8年3月31日）の納付税額を求めなさい。なお、当社は当課税期間まで継続して課税事業者であり、金額は税込みである。また、課税仕入れ等の税額は全額が控除できるものとする。

【資料】

1　収入に関する事項

(1)　課税売上高　54,800,000円

(2)　貸付金の回収額　5,880,000円

(3)　償却債権取立益　488,775円

　　　上記金額は、前々課税期間（令和5年4月1日～令和6年3月31日）に貸倒れに係る消費税額の控除の規定を受けた前々課税期間に発生した課税売上げに係る売掛金を当課税期間において回収できたことによるものである。

2　支出に関する事項

(1)　課税仕入高　32,760,000円

(2)　売上割戻し（当課税期間の課税売上げに係るもの）　273,100円

3　その他の事項

(1)　貸倒れ

　①　上記1(1)の当課税期間に係るもの　1,092,100円

　②　前課税期間に貸し付けた貸付金の一部回収不能に係るもの　2,120,000円

(2)　中間納付税額　400,000円

Chapter 9｜貸倒れに係る消費税額の控除等Ⅰ｜*9-3*　（257）

解答欄

I　課税標準額に対する消費税額の計算

〔課税標準額〕

計　算　過　程		（単位：円）
	金額	円

〔課税標準額に対する消費税額〕

計　算　過　程　　（単位：円）	金額	円

〔控除過大調整税額〕

計　算　過　程　　（単位：円）	金額	円

II　仕入れに係る消費税額の計算等

〔控除対象仕入税額〕

計　算　過　程　　（単位：円）	金額	円

〔売上げの返還等対価に係る税額〕

計　算　過　程　　（単位：円）	金額	円

〔貸倒れに係る税額〕

計　算　過　程　　（単位：円）	金額	円

〔控除税額小計〕

計　算　過　程　　（単位：円）	金額	円

Ⅲ 納付税額の計算

〔納付税額〕

計　算　過　程		（単位：円）
	金額	円

Chapter 9 | 貸倒れに係る消費税額の控除等Ⅰ | *9-5*

→ 解答・解説　9-14

| 問題4 | 総合問題(2) | 基本 | 35分 |

　次の資料により衣料品の卸売業を営む甲株式会社（以下「甲社」という。）の令和7年4月1日から令和8年3月31日までの課税期間における納付すべき消費税の額を求めなさい。なお、軽減税率が適用される取引は含まれていない。

＜資　料＞

1.　甲社の経理処理は、税込経理である。

2.　甲社の基準期間における課税売上高は、403,217,786円である。

3.　甲社は、前課税期間の仕入税額控除の計算は個別対応方式により行われており、当課税期間も個別対応方式により行うものとする。

4.　当課税期間における損益計算書

損　益　計　算　書　　　　　　（単位：円）

期首商品棚卸高	50,840,000	商品売上高	523,210,000
売上値引高	8,920,000	期末商品棚卸高	54,990,000
当期商品仕入高	246,000,000	受取利息	321,000
役員報酬	10,440,000	受取配当金	816,000
給料手当	60,960,000	保養所利用料収入	4,251,000
福利厚生費	4,572,000	固定資産売却益	18,700,000
広告宣伝費	8,652,000		
荷造運搬費	3,063,000		
寄附金	150,000		
接待交際費	3,860,000		
旅費交通費	3,900,000		
通信費	3,334,000		
水道光熱費	4,248,000		
減価償却費	5,335,000		
租税公課	14,870,000		
管理費	6,312,000		
その他の販管費	45,955,000		
支払利息	3,951,000		
貸倒損失	721,000		
有価証券売却損	4,268,000		
有価証券売却手数料	270,000		
固定資産売却手数料	3,672,000		
当期純利益	114,975,000		
	609,268,000		609,268,000

(260)9-6

2. 損益計算書の内容に関して付記すべき事項は次のとおりである。

(1) 「商品売上高」の内訳は、次のとおりである。（いずれも仕入商品に係る売上高であり、非課税取引に係るものは含まれていない。）

① 輸出免税の対象となる売上高　118,523,000円

② 国内における課税売上高　404,687,000円

(2) 「売上値引高」の内訳は、当課税期間における国内売上げに対して行ったもの7,127,600円、輸出免税の対象となる売上げに対して行ったもの1,792,400円である。

なお、甲社は売上値引については、すべて「売上値引高」勘定で処理している。

(3) 「当期商品仕入高」は、すべて国内の適格請求書発行事業者からの商品仕入れであり、このうち48,000,000円は輸出用商品の仕入高である。

(4) 「給料手当」には、通勤手当2,382,000円、住宅手当2,111,000円が含まれている。

(5) 「福利厚生費」の内訳は、甲社負担の社会保険料1,308,000円、従業員の福利厚生のため入会したスポーツクラブの入会金（返還されないもの）700,000円及び年会費1,800,000円、国内慰安旅行費用764,000円である。

(6) 「広告宣伝費」は、国内におけるイメージ広告に係る費用である。

(7) 「荷造運搬費」は、全額が商品の国内運搬に係るものである。

(8) 「寄附金」は、取引関係のない市立図書館への現金によるものである。

(9) 「接待交際費」の内訳は、次のとおりである。

① 取引先その他との飲食費　1,574,000円

② 取引先その他とのゴルフ代　375,000円　（うちゴルフ場利用税6,000円）

③ 贈答用商品券の購入費　600,000円

④ お中元、お歳暮用品の購入費　983,000円

⑤ 費途不明の交際費　328,000円

(10) 「旅費交通費」には、従業員の海外出張旅費990,000円が含まれており、残額は国内における交通費、宿泊代である。

(11) 「通信費」は電話料と郵送料であるが、国際電話料金750,000円と国際郵便料金210,000円を含んでいる。

(12) 「水道光熱費」は、全額が課税仕入れに該当する。

(13) 「減価償却費」のうち834,000円は、当課税期間中に購入した商品運搬用トラック3台分に係るものであり、当該トラックの取得価額は7,416,000円（3台分）である。

(14) 「租税公課」には、消費税の中間納付額1,400,000円が含まれている。

(15) 「管理費」は、従業員に利用させている保養所（保養所利用料収入は、この利用料として徴収したものである。）に係るもので、その全額が課税仕入れに該当するものである。

(16) 「その他の販管費」のうち38,877,500円は、課税仕入れに該当する。

(17) 上記損益計算書の項目のうち、「給料手当」、「福利厚生費」、「広告宣伝費」、「寄附金」、「接待交際費」、「旅費交通費」、「通信費」、「水道光熱費」、及び「その他の販管費」で課税仕入れとなるものは、課税資産の譲渡等とその他の資産の譲渡等に共通して要する課税仕入れである。

(18) 「貸倒損失」は、当課税期間に発生した国内の得意先に対する売掛金が貸倒れとなったものである。

(19) 「有価証券売却損」は、国内上場株式（帳簿価額6,768,000円）を2,500,000円で売却したことによる損失4,268,000円である。

Chapter 9 | 貸倒れに係る消費税額の控除等Ⅰ | 9-7

⑳　「有価証券売却手数料」は、上記⑲の国内上場株式の売却に係るものである。

㉑　「受取利息」は国内預金に対するもの、「受取配当金」は保有株式に対するものである。

㉒　「固定資産売却益」は、遊休の土地（帳簿価額 77,600,000 円）を 96,300,000 円で売却したことによるものである。

㉓　「固定資産売却手数料」は、上記㉒の土地の売却に際し、不動産業者に支払った仲介手数料及び広告費の合計である。

解答欄

I　納税義務の有無の判定

計　算　過　程	（単位：円）

II　課税標準額に対する消費税額の計算

〔課税標準額〕

計　算　過　程	（単位：円）
金額	円

〔課税標準額に対する消費税額〕

計　算　過　程	（単位：円）	金額	円

III　仕入れに係る消費税額の計算等

〔課税売上割合〕

計　算　過　程	（単位：円）
課税売上割合	円 <hr> 円

Chapter 9｜貸倒れに係る消費税額の控除等 I｜*9-9*　（263）

〔控除対象仕入税額〕

計　算　過　程	（単位：円）
金額	円

〔売上げの返還等対価に係る税額〕

計　算　過　程　　　（単位：円）	金額	円

〔貸倒れに係る税額〕

計　算　過　程　　　（単位：円）	金額	円

〔控除税額小計〕

計　算　過　程　　　　　（単位：円）	金額	円

IV　納付税額の計算

〔納付税額〕

計　算　過　程　　　　　　　　　　（単位：円）
金額　　　　　　　　　　　　　　　　　　円

| 解 答 | 問題1　貸倒れに係る消費税額の控除(1) |

貸倒れに係る消費税額　　　| 1,340,181 |　円

| 解 説 |　(単位：円)

(2)　免税取引に係る債権の貸倒れであるため、税額控除の対象となりません。

(3)　非課税取引に係る債権の貸倒れであるため、税額控除の対象となりません。

(4)　不課税取引に係る債権の貸倒れであるため、税額控除の対象となりません。

(5)　住宅の貸付けと異なり居住用建物の譲渡は課税取引となるため、その譲渡に係る債権の貸倒れは税額控除の対象となります。

　　　対象となる債権について消費税額を計算します。

　　　　$2,100,000 + 16,800,000 = 18,900,000$

　　　　$18,900,000 \times \dfrac{7.8}{110} = 1,340,181$

| 解 答 | 問題2　控除過大調整税額 |

控除過大調整税額　　　| 214,429 |　円

| 解 説 |　(単位：円)

(1)　免税取引に係る債権の貸倒額の回収であるため、調整の対象となりません。

(3)　非課税取引に係る債権の貸倒額の回収であるため、調整の対象となりません。

(4)　駐車場施設の賃貸料は施設の利用に伴う土地の利用であり、課税取引に該当し、その貸倒額の回収は調整の対象となります。

　　　対象となる債権について消費税額を計算します。

　　　　$2,520,000 + 504,000 = 3,024,000$

　　　　$3,024,000 \times \dfrac{7.8}{110} = 214,429$

(266) **9-12**

解答 問題3 総合問題(1)

I 課税標準額に対する消費税額の計算

〔課税標準額〕

計 算 過 程	（単位：円）
$54,800,000 \times \dfrac{100}{110} = 49,818,181 \rightarrow 49,818,000$（千円未満切捨）	
	金 額　　　　　　　　　　　　円 49,818,000

〔課税標準額に対する消費税額〕

計 算 過 程　　（単位：円）	金 額　　　　　　円
$49,818,000 \times 7.8\% = 3,885,804$	3,885,804

〔控除過大調整税額〕

計 算 過 程　　（単位：円）	金 額　　　　　　円
$488,775 \times \dfrac{7.8}{110} = 34,658$	34,658

II 仕入れに係る消費税額の計算等

〔控除対象仕入税額〕

計 算 過 程　　（単位：円）	金 額　　　　　　円
$32,760,000 \times \dfrac{7.8}{110} = 2,322,981$	2,322,981

〔売上げの返還等対価に係る税額〕

計 算 過 程　　（単位：円）	金 額　　　　　　円
$273,100 \times \dfrac{7.8}{110} = 19,365$	19,365

〔貸倒れに係る税額〕

計 算 過 程　　（単位：円）	金 額　　　　　　円
$1,092,100 \times \dfrac{7.8}{110} = 77,439$	77,439

〔控除税額小計〕

計 算 過 程　　（単位：円）	金 額　　　　　　円
$2,322,981 + 19,365 + 77,439 = 2,419,785$	2,419,785

Chapter 9｜貸倒れに係る消費税額の控除等 I｜*9-13*

Ⅲ 納付税額の計算

〔納付税額〕

計　算　過　程		(単位：円)
(1) 差引税額 3,885,804＋34,658－2,419,785＝1,500,677 → 1,500,600（百円未満切捨）		
(2) 納付税額 1,500,600－400,000＝1,100,600	金 額	円 1,100,600

解 説

1　償却債権取立益に係る税額は控除過大調整税額として、課税標準額に対する消費税額に加算します。

2　貸付金の回収不能額は、不課税取引に係る回収不能額であるため、貸倒れに係る消費税額の控除の対象となりません。

解 答　問題4 総合問題(2)

Ⅰ　納税義務の有無の判定

計　算　過　程	(単位：円)
基準期間における課税売上高　　403,217,786 403,217,786 ＞ 10,000,000　　∴　納税義務あり	

Ⅱ　課税標準額に対する消費税額の計算

〔課税標準額〕

計　算　過　程		(単位：円)
商品売上 404,687,000＋保養所収入 4,251,000＝408,938,000 $408,938,000×\dfrac{100}{110}=371,761,818 → 371,761,000$（千円未満切捨）	金 額	円 371,761,000

〔課税標準額に対する消費税額〕

計　算　過　程　　(単位：円)	金	円
371,761,000×7.8%＝28,997,358	額	28,997,358

Ⅲ 仕入れに係る消費税額の計算等

〔課税売上割合〕

計　算　過　程	（単位：円）

(1) 課税売上高

① 国内売上371,761,818＋免税売上118,523,000＝490,284,818

② $\left(7,127,600-7,127,600\times\dfrac{7.8}{110}\times\dfrac{100}{78}\right)+1,792,400=8,272,038$

③ ①－②＝482,012,780

(2) 非課税売上高

有価証券売却2,500,000×5％＋受取利息321,000＋土地売却96,300,000＝96,746,000

(3) 課税売上割合

$\dfrac{(1)}{(1)+(2)}=\dfrac{482,012,780}{578,758,780}=0.8328\cdots\ <\ 95\%$

∴　按分計算が必要

課税売上割合	$\dfrac{482,012,780\ \text{円}}{578,758,780\ \text{円}}$

〔控除対象仕入税額〕

計　算　過　程	（単位：円）

(1) 区分経理及び税額

① 課税資産の譲渡等にのみ要するもの

商品仕入 246,000,000＋運搬費 3,063,000＋トラック 7,416,000＋管理費 6,312,000

＝262,791,000

$262,791,000\times\dfrac{7.8}{110}=18,634,270$

② その他の資産の譲渡等にのみ要するもの

有価証券手数料 270,000＋土地売却手数料 3,672,000＝3,942,000

$3,942,000\times\dfrac{7.8}{110}=279,523$

③ 共通して要するもの

通勤手当 2,382,000＋福利厚生（700,000＋1,800,000＋764,000）＋広告宣伝 8,652,000

＋接待交際（1,574,000＋375,000－6,000＋983,000）＋旅費交通（3,900,000－990,000）

＋通信費（3,334,000－750,000－210,000）＋水道光熱 4,248,000＋その他 38,877,500

＝65,633,500

$65,633,500\times\dfrac{7.8}{110}=4,654,011$

(2) 控除対象仕入税額

$18,634,270+4,654,011\times\dfrac{482,012,780}{578,758,780}=22,510,311$

金額	22,510,311 円

〔売上げの返還等対価に係る税額〕

計　算　過　程　　　　（単位：円）	金額	円
$7,127,600 \times \dfrac{7.8}{110} = 505,411$		505,411

〔貸倒れに係る税額〕

計　算　過　程　　　　（単位：円）	金額	円
$721,000 \times \dfrac{7.8}{110} = 51,125$		51,125

〔控除税額小計〕

計　算　過　程　　　　（単位：円）	金額	円
$22,510,311 + 505,411 + 51,125 = 23,066,847$		23,066,847

IV　納付税額の計算

〔納付税額〕

計　算　過　程　　　　　　　　　　　　　　（単位：円）		
(1)　差引税額		
$28,997,358 - 23,066,847 = 5,930,511 \rightarrow 5,930,500$（百円未満切捨）		
(2)　納付税額		
$5,930,500 - 1,400,000 = 4,530,500$	金額	円
		4,530,500

解　説

1.　通勤手当、住宅手当（基通11－2－2）

　　給与の支払に際し「手当」と名の付くものは課税仕入れとならないが、通勤者である者に支給する「通勤手当」のうち通常必要である部分の金額は課税仕入れとなる。

2.　入会金（基通11－2－7）

　　事業者が支払う入会金のうち、ゴルフクラブ、宿泊施設、体育施設、遊戯施設その他レジャー施設の利用又は一定の割引率で商品等を販売するなど会員に対する役務の提供を目的とする団体の会員資格を得るためのもので脱退等に際し返還されないものは、課税仕入れに係る支払対価に該当する。

3.　寄附金（基通11－2－17）

　　事業者がした金銭による寄附は課税仕入れに該当しない。

4. ゴルフ場利用税（基通10－1－11）

　　課税資産の譲渡等の対価の額には、酒税、たばこ税、揮発油税、石油石炭税、石油ガス税等が含まれるが、軽油引取税、ゴルフ場利用税及び入湯税は、利用者等が納税義務者となっているのであるから対価の額に含まれない。したがって、課税仕入れに該当しない。

5. 費途不明の交際費等（基通11－2－23）

　　事業者が当該課税期間の課税仕入れ等の税額の控除に係る帳簿及び請求書等を保存しない場合には、その保存がない課税仕入れ等の税額について仕入れに係る消費税額の控除の規定を適用することができないのであるから、例えば、課税仕入れに関する記録がない場合のほか、事業者が交際費、機密費等の名義をもって支出した金額でその費途が明らかでないものについても仕入税額控除の規定の適用を受けることができない

········ *Memorandum Sheet* ········

Chapter 10

仕入れに係る対価の返還等 I

→ 解答・解説 10-10

問題1 仕入れに係る対価の返還等(1) 　　基本　3分

次の【資料】により、当課税期間（令和7年4月1日〜令和8年3月31日）の控除対象仕入税額を求めなさい。

なお、当社は当課税期間まで継続して課税事業者であり、金額は税込みである。また、当社の当課税期間の課税売上割合は95%、課税売上高（税抜）は12,000,000円である。

【資料】

(1) 商品（課税商品）の仕入高 　　　　7,140,000円

　　すべて課税資産の譲渡等にのみ要するものである

(2) 仕入値引 　　　　　　　　　　　　210,000円

　　当課税期間における(1)の商品の仕入れに係るものである。

(3) 仕入割戻 　　　　　　　　　　　　42,000円

　　当課税期間における(1)の商品の仕入れに係るものである。

(4) 仕入割引 　　　　　　　　　　　　322,560円

　　当課税期間の課税仕入れに係る買掛金を支払期日前に決済したことにより取引先から支払われたものである。

解答欄

(1) 課税売上割合	（単位：円）
(2) 課税仕入れに係る消費税額	
(3) 仕入れに係る対価の返還等に係る消費税額	
(4) 控除対象仕入税額	

(274)10-2

→ 解答・解説 10-10

問題2 仕入れに係る対価の返還等(2)　　　基本 | 15分

　次の【資料】により、各問における当課税期間（令和7年4月1日～令和8年3月31日）の控除対象仕入税額を求めなさい。

　なお、当社は当課税期間まで継続して課税事業者であり、金額は税込みである。

【資料】

(1)　課税仕入れ

　　課税資産の譲渡等にのみ要する課税仕入れ　　　　12,600,000円

　　その他の資産の譲渡等にのみ要する課税仕入れ　　　420,000円

　　共通して要する課税仕入れ　　　　　　　　　　　2,100,000円

(2)　仕入値引（当課税期間の仕入れに係るもの）　　　151,200円

　　課税資産の譲渡等にのみ要するものである。

問1　当課税期間の課税売上割合が98％、かつ、課税売上高（税抜）が30,000,000円である場合

問2　当課税期間の課税売上割合が90％である場合（個別対応方式によるものとする。）

解答欄

問1

(1)　課税売上割合　　　　　　　　　　　　　　　　　　　　　　　（単位：円）
(2)　課税仕入れに係る消費税額
(3)　仕入れに係る対価の返還等に係る消費税額
(4)　控除対象仕入税額

Chapter 10｜仕入れに係る対価の返還等Ⅰ｜*10-3*　（275）

問 2

(1) 課税売上割合　　　　　　　　　　　　　　　　　　　　　　　　　　　　　（単位：円）

(2) 区分経理及び税額

(3) 控除対象仕入税額

→ 解答・解説 10-12

問題3　総合問題　　基本　30分

　次の資料により、甲株式会社（事務用品の卸売業を営んでおり、消費税法施行以来継続して課税事業者である。）の当課税期間（令和7年4月1日～令和8年3月31日）における納付すべき消費税の額又は還付を受けるべき消費税の額を計算しなさい。

＜資　料＞

(1)　基準期間における課税売上高は 309,000,000 円である。

(2)　甲株式会社は、いわゆる税込経理を行っており、前課税期間においては個別対応方式により控除対象仕入税額の計算を行っており、当課税期間も個別対応方式により行う。また、当課税期間中に行った課税仕入れについては、その事実を明らかにした帳簿及び請求書等が保存されており、輸出取引についても証明書類が保存されている。

(3)　甲株式会社の残高試算表

残 高 試 算 表
令和8年3月31日　　　　　　　（単位：円）

現 金 預 金	36,525,000	買 　掛 　金	23,569,000
売 　掛 　金	30,000,000	未 　払 　金	8,040,000
有 価 証 券	25,000,000	借 　入 　金	16,000,000
繰 越 商 品	30,900,000	資 　本 　金	100,000,000
貸 　付 　金	5,000,000	売 　上 　高	354,000,000
固 定 資 産	299,000,000	受 取 利 息	5,000,000
当期商品仕入高	144,200,000	駐車場料金収入	22,650,000
従 業 員 給 与	85,000,000	雑 　収 　入	3,060,000
法 定 福 利 費	10,750,000	固定資産売却益	305,000,000
広 告 宣 伝 費	21,600,000	償却債権取立益	5,881,000
交 際 費 等	25,000,000		
消 耗 品 費	11,000,000		
交 　通 　費	30,300,000		
水 道 光 熱 費	32,400,000		
租 税 公 課	14,320,000		
支 払 保 険 料	18,000,000		
支 払 手 数 料	19,330,000		

Chapter 10｜仕入れに係る対価の返還等Ⅰ｜ **10-5**

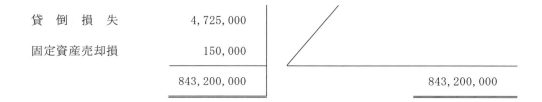

貸倒損失	4,725,000	
固定資産売却損	150,000	
	843,200,000	843,200,000

(注1) 売上高の内訳（非課税取引に係るものはない。）
　　　① 国内の事業者に対する商品売上高　　104,758,000 円
　　　② 輸出免税の取引に係る商品売上高　　249,242,000 円
(注2) 受取利息は、すべて国内における銀行預金の利息である。
(注3) 駐車場料金収入は、区画整地した駐車場の貸付けに係る賃貸料収入である。
(注4) 雑収入の内訳
　　　① 仕入割引　　　　　　　　　　　　　2,000,000 円
　　　② 損害賠償金　　　　　　　　　　　　1,060,000 円
(注5) 固定資産売却益は、当社所有の土地を売却した際の帳簿価額 290,000,000 円と売却価額 595,000,000 円との差額である。また、売却した際の支払手数料 19,330,000 円は支払手数料勘定で計上され費用処理されている。
　　　固定資産売却損は、帳簿価額 1,500,000 円の器具備品を 1,350,000 円で売却したことにより生じたものである。
(注6) 償却債権取立益は、令和5年4月1日～令和6年3月31日の課税期間において貸倒れ処理した令和3年5月の売掛金 2,060,000 円と貸付金 3,821,000 円との合計額に係るものである。なお、当該課税期間において消費税法第39条第1項の適用を受けている。
(注7) 当期商品仕入高は、すべて国内における課税仕入れに該当するものである。なお、このうち 102,100,000 円については、輸出免税の対象となる売上げに係るものである。
(注8) 従業員給与には通勤手当 14,870,000 円が含まれている。
(注9) 法定福利費は、すべて社会保険料及び労働保険料である。
(注10) 交際費等の内訳
　　　① 得意先に対する飲食費　　　　　　　4,853,000 円
　　　② 得意先に対する贈答品購入費用　　　10,000,000 円　（うち商品券購入代金 2,700,000 円）
　　　③ 費途不明金　　　　　　　　　　　　10,147,000 円
(注11) 保険料は、毎年10月1日に向こう1年分を支払っており、当社は、継続して支出日において費用処理している。
(注12) 貸倒損失は、すべて前々課税期間（令和5年4月1日～令和6年3月31日）に行われた国内商品売上高に対する売掛金の回収不能額を計上したである。
(注13) 広告宣伝費、消耗品費、交通費、水道光熱費は全額が課税仕入れに該当し、従業員給与、広告宣伝費、消耗品費、交通費、水道光熱費のうち課税仕入れとなるものは、課税資産の譲渡等とその他の資産の譲渡等に共通して要するものであり、商品仕入高、交際費等のうち課税仕入れとなるものは、課税資産の譲渡等にのみ要するものである。

解答欄

I　納税義務の有無の判定

計　算　過　程	（単位：円）

II　課税標準額に対する消費税額の計算

〔課税標準額〕

計　算　過　程	（単位：円）

金額	円

〔課税標準額に対する消費税額〕

計　算　過　程	（単位：円）	金額	円

〔控除過大調整税額〕

計　算　過　程	（単位：円）	金額	円

III　仕入れに係る消費税額の計算等

〔課税売上割合〕

計　算　過　程	（単位：円）

課税売上割合	円
	円

Chapter 10｜仕入れに係る対価の返還等 I｜*10-7*

〔控除対象仕入税額〕

計　算　過　程	（単位：円）
金額	円

〔貸倒れに係る税額〕

計　算　過　程　（単位：円）	金額	円

〔控除税額小計〕

計　算　過　程　（単位：円）	金額	円

Ⅳ　控除不足還付税額の計算

〔控除不足還付税額〕

計　算　過　程　　　　（単位：円）	金額	円

Chapter 10 | 仕入れに係る対価の返還等Ⅰ | *10-9*

解答　問題1　仕入れに係る対価の返還等⑴

(1) 課税売上割合　　　　　　　　　　　　　　　　　　　　　　（単位：円）

95% ≧ 95%

12,000,000 ≦ 500,000,000　　∴按分計算は不要

(2) 課税仕入れに係る消費税額

$7,140,000 \times \dfrac{7.8}{110} = 506,290$

(3) 仕入れに係る対価の返還等に係る消費税額

$(210,000 + 42,000 + 322,560) \times \dfrac{7.8}{110} = 40,741$

(4) 控除対象仕入税額

$506,290 - 40,741 = 465,549$

解説

仕入割引が仕入れに係る対価の返還等の範囲に含まれる点に注意しましょう。

項目	内容
仕入返品・値引き	仕入れた商品を返品することによる返金、約定違反等により仕入金額の減額を受けたもの
仕入割戻し（リベート）	一定期間に一定額又は一定量の取引をした仕入先からの代金の一部返戻（リベート）
仕入割引（基通12-1-4）	買掛金等を支払期日よりも前に決済したことにより取引先から支払いを受けるもの

解答　問題2　仕入れに係る対価の返還等⑵

問1

(1) 課税売上割合　　　　　　　　　　　　　　　　　　　　　　（単位：円）

98% ≧ 95%

30,000,000 ≦ 500,000,000

∴　按分計算は不要

(2) 課税仕入れに係る消費税額

$12,600,000 + 420,000 + 2,100,000 = 15,120,000$

$15,120,000 \times \dfrac{7.8}{110} = 1,072,145$

(3) 仕入れに係る対価の返還等に係る消費税額

$151,200 \times \dfrac{7.8}{110} = 10,721$

(4) 控除対象仕入税額

$1,072,145 - 10,721 = 1,061,424$

問2

(1) 課税売上割合　　　　　　　　　　　　　　　　　　　　　　　　　　（単位：円）

　　90% ＜ 95%

　　∴　按分計算が必要

(2) 区分経理及び税額

　① 課税資産の譲渡等にのみ要するもの

　　イ　課税仕入れ

　　　　$12,600,000 \times \dfrac{7.8}{110} = 893,454$

　　ロ　仕入返還等

　　　　$151,200 \times \dfrac{7.8}{110} = 10,721$

　② その他の資産の譲渡等にのみ要するもの

　　　$420,000 \times \dfrac{7.8}{110} = 29,781$

　③ 共通して要するもの

　　　$2,100,000 \times \dfrac{7.8}{110} = 148,909$

(3) 控除対象仕入税額

　　$(893,454 - 10,721) + 148,909 \times 90\% = 1,016,751$

解説

1　課税売上割合が98%、かつ、課税売上高が30,000,000円の場合

　　その課税期間の課税売上割合が95%以上、かつ、課税売上高が500,000,000円以下の場合は、課税仕入れ等の税額を全額控除できるため、仕入れに係る対価の返還等に係る消費税額も全額差し引きます。

> 課税仕入れ等の　　仕入れに係る対価の返還等
> 税額の合計額　 ー 　に係る消費税額　　　　　　 ＝ 控除対象仕入税額

2　上記以外の場合

　〔個別対応方式による場合〕

> | 課税資産の譲渡等にのみ要する課税仕入れ等の税額の合計額 | ー | 課税資産の譲渡等にのみ要する仕入れに係る対価の返還等に係る消費税額 | ＝ | Ⓐ |
>
> | 共通して要する課税仕入れ等の税額の合計額 | × | 課税売上割合 | ー | 共通して要する仕入れに係る対価の返還等に係る消費税額 | × | 課税売上割合 | ＝ | Ⓑ |
>
> Ⓐ　＋　Ⓑ　＝　控除対象仕入税額

Chapter 10｜仕入れに係る対価の返還等Ⅰ｜ **10-11** （283）

| 解 答 | 問題3 総合問題 |

I 納税義務の有無の判定

計 算 過 程	（単位：円）

基準期間における課税売上高　309,000,000

309,000,000 ＞ 10,000,000　　∴　納税義務あり

II 課税標準額に対する消費税額の計算

〔課税標準額〕

計 算 過 程	（単位：円）

売上高104,758,000＋駐車場22,650,000＋備品売却1,350,000＝128,758,000

$128,758,000 \times \dfrac{100}{110} = 117,052,727 \to 117,052,000$（千円未満切捨）

	金額	円
		117,052,000

〔課税標準額に対する消費税額〕

計 算 過 程	（単位：円）	金額	円
$117,052,000 \times 7.8\% = 9,130,056$			9,130,056

〔控除過大調整税額〕

計 算 過 程	（単位：円）	金額	円
$2,060,000 \times \dfrac{7.8}{110} = 146,072$			146,072

III 仕入れに係る消費税額の計算等

〔課税売上割合〕

計 算 過 程	（単位：円）

(1) 課税売上高

　国内売上117,052,727＋免税売上249,242,000＝366,294,727

(2) 非課税売上高

　受取利息5,000,000＋土地売却595,000,000＝600,000,000

(3) 課税売上割合

$\dfrac{(1)}{(1)+(2)} = \dfrac{366,294,727}{966,294,727} = 0.3790\cdots < 95\%$

∴　按分計算が必要

課税売上割合	円
$\dfrac{366,294,727}{966,294,727}$ 円	

(284)**10-12**

〔控除対象仕入税額〕

計 算 過 程	（単位：円）

(1) 区分経理及び税額

① 課税資産の譲渡等にのみ要するもの

イ 課税仕入れ

商品仕入 144,200,000＋交際費（4,853,000＋10,000,000－2,700,000）＝156,353,000

$156,353,000 \times \dfrac{7.8}{110} = 11,086,849$

ロ 仕入返還等

仕入割引 2,000,000

$2,000,000 \times \dfrac{7.8}{110} = 141,818$

② その他の資産の譲渡等にのみ要するもの

手数料 19,330,000

$19,330,000 \times \dfrac{7.8}{110} = 1,370,672$

③ 共通して要するもの

通勤手当 14,870,000＋広告宣伝 21,600,000＋消耗品 11,000,000＋交通費 30,300,000

＋水道光熱 32,400,000＝110,170,000

$110,170,000 \times \dfrac{7.8}{110} = 7,812,054$

(2) 控除対象仕入税額

$(11,086,849 - 141,818) + 7,812,054 \times \dfrac{366,294,727}{966,294,727} = 13,906,357$

金額	円
	13,906,357

〔貸倒れに係る税額〕

計 算 過 程 （単位：円）	金額	円
$4,725,000 \times \dfrac{7.8}{110} = 335,045$		335,045

〔控除税額小計〕

計 算 過 程 （単位：円）	金額	円
13,906,357＋335,045＝14,241,402		14,241,402

Chapter 10｜仕入れに係る対価の返還等Ⅰ｜**10-13**（285）

Ⅳ 控除不足還付税額の計算

〔控除不足還付税額〕

計　算　過　程　　　　（単位：円）	金額	円
$14,241,402-（9,130,056+146,072）=4,965,274$		4,965,274

解　説

1. 仕入割引（基通12-1-4）
   買掛金等を支払期日よりも前に決済したことにより取引先から支払いを受ける仕入割引は、仕入れに係る対価の返還等に該当する。

2. 損害賠償金（基通5-2-5）
   損害賠償金は、資産の譲渡等の対価に該当しない。

3. 償却債権取立益（法39③）
   貸倒れに係る消費税額の控除の規定の適用を受けた事業者がその規定の適用を受けた課税資産の譲渡等の税込価額の全部又は一部の領収をしたときは、その領収をした税込価額に係る消費税額を課税資産の譲渡等に係る消費税額とみなしてその事業者のその領収をした日の属する課税期間の課税標準額に対する消費税額に加算する。

4. 通勤手当（基通11-2-2）
   通勤手当は、通常必要であると認められる部分の金額が、課税仕入れに係る支払対価に該当する。

5. 費途不明の交際費等（基通11-2-23）
   事業者がその課税期間の課税仕入れ等の税額の控除に係る帳簿及び請求書等を保存しない場合には、その保存がない課税仕入れ等の税額について仕入れに係る消費税額の控除の規定を適用することができない。例えば、課税仕入れに関する記録がない場合のほか、事業者が交際費、機密費等の名義をもって支出した金額でその費途が明らかでないものについても仕入税額控除の規定の適用を受けることができない。

6. 保険料
   保険料は、受取る側において非課税売上げとなるため、課税仕入れに該当しない。

7. 控除不足還付税額の計算
   課税標準額に対する消費税額から、控除税額を控除して控除しきれない場合は控除不足還付税額を計上する。
   なお、この控除不足還付税額は、百円未満切捨ての端数処理を行わず円の位まで表示する。

Chapter 11

簡易課税制度 I

→ 解答・解説 11-13

問題1　控除対象仕入税額の計算　　　　　　　　　　基本　10分

　次の【資料】に基づき、事務用機器の販売を営む当社の当課税期間（令和7年4月1日～令和8年3月31日）における納税義務の有無と簡易課税制度の適用の有無を判定し、納付税額を計算しなさい。なお、当社は設立以来、免税事業者に該当したことはない。また、当社の商品はすべて消費者に対して販売しているものとする。

【資料】

1　当課税期間に関する資料

　⑴　課税売上高　　　　　　　　　　　　　　　　　　33,080,000円

　⑵　売上戻り高（当課税期間の課税売上げに係るもの）　　568,000円

2　基準期間における課税売上高　　　　　　　　　　　29,680,000円

3　当社は税込経理方式を採用している。

4　当社は前課税期間以前に消費税簡易課税制度選択届出書を提出している。

(288)11-2

解答欄

I 納税義務の有無の判定及び簡易課税制度適用有無の判定

計　算　過　程　　　　　　　　　　　　　　（単位：円）
［納税義務の有無の判定］   ［簡易課税制度適用有無の判定］

II 課税標準額に対する消費税額の計算

〔課税標準額〕

計　算　過　程　　　　　　　　　　　　　　（単位：円）		
	金額	円

〔課税標準額に対する消費税額〕

計　算　過　程　　　　　（単位：円）	金額	円

III 仕入れに係る消費税額の計算等

〔控除対象仕入税額〕

計　算　過　程　　　　　　　　　　　　　　（単位：円）		
	金額	円

Chapter 11｜簡易課税制度 I｜*11-3*　（289）

〔売上げの返還等対価に係る税額〕

計　算　過　程　　　　（単位：円）	金額	円

〔控除税額小計〕

計　算　過　程　　　　（単位：円）	金額	円

IV　納付税額の計算

〔納付税額〕

計　算　過　程　　　　　　　　　　　　　　　　（単位：円）

	金額	円

········ *Memorandum Sheet* ········

→ 解答・解説 11-14

問題2　2以上の事業を営む場合（原則(1)）　　基本　20分

次の【資料】に基づき、当社の当課税期間（令和7年4月1日〜令和8年3月31日）における納付税額を計算しなさい。なお、当課税期間においては簡易課税制度が適用されるものとする。また、特定1事業又は2事業の課税売上げが75%以上である場合の特例計算は考慮する必要はない。なお、軽減税率が適用れる取引は含まれていない。

【資料】（当社は税込経理方式を採用している）

1	卸売業に係る売上高	18,012,000円
2	小売業に係る売上高	23,250,000円
3	小売業に係る売上値引（当課税期間の売上げに係るもの）	450,000円

(292) 11-6

解答欄

I 課税標準額に対する消費税額の計算

〔課税標準額〕

計　算　過　程	（単位：円）		
	金額		円

〔課税標準額に対する消費税額〕

計　算　過　程 （単位：円）	金額	円

II 仕入れに係る消費税額の計算等

〔控除対象仕入税額〕

計　算　過　程	（単位：円）	
	金額	円

Chapter 11 | 簡易課税制度 I | *11-7* （293）

〔売上げの返還等対価に係る税額〕

計　算　過　程　　　　（単位：円）	金額	円

〔控除税額小計〕

計　算　過　程　　　　（単位：円）	金額	円

Ⅲ　納付税額の計算

〔納付税額〕

計　算　過　程　　　　　　　　　　　　（単位：円）		
	金額	円

········ *Memorandum Sheet* ········

→ 解答・解説 11-17

| 問題3 | 2以上の事業を営む場合（原則(2)） | 基本 | 20分 |

　次の【資料】に基づき、当社の当課税期間（令和7年4月1日〜令和8年3月31日）における納付税額を計算しなさい。なお、当課税期間においては簡易課税制度が適用されるものとする。また、特定1事業又は2事業の課税売上げが75%以上である場合の特例計算は考慮する必要はない。なお、軽減税率が適用される取引は含まれていない。

【資料】

1	飲食店業に係る売上高	13,150,000 円
2	小売業に係る売上高	10,130,000 円
3	小売業に係る売上値引	70,100 円
4	当課税期間に発生した当課税期間の売上高に係る貸倒損失額	23,000 円

(296) 11-10

解答欄

I 課税標準額に対する消費税額の計算

〔課税標準額〕

計　算　過　程		（単位：円）
	金額	円

〔課税標準額に対する消費税額〕

計　算　過　程　（単位：円）	金額	円

II 仕入れに係る消費税額の計算等

〔控除対象仕入税額〕

計　算　過　程		（単位：円）
	金額	円

Chapter 11 | 簡易課税制度 I | **11-11** （297）

〔売上げの返還等対価に係る税額〕

計　算　過　程　　　　　（単位：円）	金額	円

〔貸倒れに係る税額〕

計　算　過　程　　　　　（単位：円）	金額	円

〔控除税額小計〕

計　算　過　程　　　　　（単位：円）	金額	円

Ⅲ　納付税額の計算

〔納付税額〕

計　算　過　程　　　　　　　　　　　　　　　　（単位：円）
金額　　　　　　　　　　　　　　　　　　　　　　　　円

解答 問題1 控除対象仕入税額の計算

I 納税義務の有無の判定及び簡易課税制度適用有無の判定

計 算 過 程	（単位：円）

［納税義務の有無の判定］

基準期間における課税売上高 　29,680,000

29,680,000 ＞ 10,000,000

∴　納税義務あり

［簡易課税制度適用有無の判定］

消費税簡易課税制度選択届出書の提出あり

基準期間における課税売上高 　29,680,000 ≦ 50,000,000

∴　適用あり

II 課税標準額に対する消費税額の計算

〔課税標準額〕

計 算 過 程	（単位：円）
$33,080,000 \times \dfrac{100}{110} = 30,072,727 \rightarrow 30,072,000$ （千円未満切捨）	
金額	円　　30,072,000

〔課税標準額に対する消費税額〕

計 算 過 程 　　（単位：円）	金額
$30,072,000 \times 7.8\% = 2,345,616$	円　　2,345,616

III 仕入れに係る消費税額の計算等

〔控除対象仕入税額〕

計 算 過 程	（単位：円）

(1) 基礎税額

　　$2,345,616 - 40,276 = 2,305,340$

(2) 控除対象仕入税額

　　$2,305,340 \times 80\% = 1,844,272$

金額	円　　1,844,272

Chapter 11 | 簡易課税制度 I | **11-13** (299)

〔売上げの返還等対価に係る税額〕

計　算　過　程　　　　（単位：円）	金額	円
$568,000 \times \dfrac{7.8}{110} = 40,276$		40,276

〔控除税額小計〕

計　算　過　程　　　　（単位：円）	金額	円
$1,844,272 + 40,276 = 1,884,548$		1,884,548

Ⅳ　納付税額の計算

〔納付税額〕

計　算　過　程　　　　　　　　　　　　（単位：円）
(1)　差引税額 　　　$2,345,616 - 1,884,548 = 461,068 \rightarrow 461,000$（百円未満切捨） (2)　納付税額 　　　461,000

	金額	円
		461,000

解説

簡易課税制度を適用する場合、控除対象仕入税額は以下のように計算します。

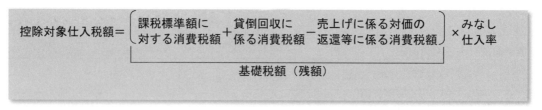

なお、本問は販売業を営む事業者で、すべて消費者に対する課税売上高であることから、みなし仕入率は第二種事業の80％を適用します。

解答　問題2　2以上の事業を営む場合（原則(1)）

Ⅰ　課税標準額に対する消費税額の計算

〔課税標準額〕

計　算　過　程　　　　　　　　　　　　（単位：円）
$18,012,000 + 23,250,000 = 41,262,000$ $41,262,000 \times \dfrac{100}{110} = 37,510,909 \rightarrow 37,510,000$（千円未満切捨）

	金額	円
		37,510,000

〔課税標準額に対する消費税額〕

計　算　過　程　　（単位：円）	金額	円
$37,510,000 \times 7.8\% = 2,925,780$		$2,925,780$

Ⅱ　仕入れに係る消費税額の計算等

〔控除対象仕入税額〕

計　算　過　程　　　　　　　　　　　　　　　　（単位：円）
(1)　業種別消費税額
①　第一種事業
$\qquad 18,012,000 \times \dfrac{7.8}{110} = 1,277,214$
②　第二種事業
$\qquad$ イ　$23,250,000 \times \dfrac{7.8}{110} = 1,648,636$
$\qquad$ ロ　$450,000 \times \dfrac{7.8}{110} = 31,909$
$\qquad$ ハ　イ－ロ$=1,616,727$
③　合計
$\qquad$ ①＋②$=2,893,941$
(2)　基礎税額
$\quad 2,925,780 - 31,909 = 2,893,871$
(3)　控除対象仕入税額
$\quad 2,893,871 \times \dfrac{1,277,214 \times 90\% + 1,616,727 \times 80\%}{2,893,941} = 2,442,813$

	金額	円
		$2,442,813$

〔売上げの返還等対価に係る税額〕

計　算　過　程　　（単位：円）	金額	円
$450,000 \times \dfrac{7.8}{110} = 31,909$		$31,909$

〔控除税額小計〕

計　算　過　程　　（単位：円）	金額	円
$2,442,813 + 31,909 = 2,474,722$		$2,474,722$

Ⅲ　納付税額の計算

〔納付税額〕

計　算　過　程		（単位：円）
(1)　差引税額 　　2,925,780－2,474,722＝451,058　→　451,000（百円未満切捨）		
(2)　納付税額 　　451,000	金 額	円 451,000

解　説

各種事業区分のみなし仕入率は次のとおりです。

区分	みなし仕入率
第一種事業	90%
第二種事業	80%
第三種事業	70%
第四種事業	60%
第五種事業	50%
第六種事業	40%

　複数の事業を営んでいる場合のみなし仕入率は、各事業のみなし仕入率を各事業の課税売上げに係る消費税額で加重平均した率を用います。

$$\text{各事業の課税売上げに係る消費税額} = \text{各事業の課税売上げ} \times \frac{7.8}{110} - \text{各事業の売上げに係る対価の返還等} \times \frac{7.8}{110}$$

$$\text{みなし仕入率} = \frac{A \times 90\% + B \times 80\% + C \times 70\% + D \times 60\% + E \times 50\% + F \times 40\%}{A + B + C + D + E + F}$$

　　A…第一種事業の課税売上げに係る消費税額

　　B…第二種事業の課税売上げに係る消費税額

　　C…第三種事業の課税売上げに係る消費税額

　　D…第四種事業の課税売上げに係る消費税額

　　E…第五種事業の課税売上げに係る消費税額

　　F…第六種事業の課税売上げに係る消費税額

　なお、控除対象仕入税額の計算における基礎税額については、売上げに係る対価の返還等に係る消費税額を先に求めておくと、スムーズに計算できます。

　また、本問では特例計算が適用されない旨が明示されているため、解答において業種別課税売上高の計算は省略しています。

解 答 問題3　2以上の事業を営む場合（原則(2)）

Ⅰ　課税標準額に対する消費税額の計算

〔課税標準額〕

計　算　過　程	（単位：円）	
$13,150,000+10,130,000=23,280,000$ $23,280,000\times\dfrac{100}{110}=21,163,636\ \rightarrow\ 21,163,000$（千円未満切捨）		
	金額	円 21,163,000

〔課税標準額に対する消費税額〕

計　算　過　程　（単位：円）	金額	円
$21,163,000\times7.8\%=1,650,714$		1,650,714

Ⅱ　仕入れに係る消費税額の計算等

〔控除対象仕入税額〕

計　算　過　程	（単位：円）
(1)　業種別消費税額 　　①　第二種事業 　　　イ　$10,130,000\times\dfrac{7.8}{110}=718,309$ 　　　ロ　$70,100\times\dfrac{7.8}{110}=4,970$ 　　　ハ　イ－ロ＝713,339 　　②　第四種事業 　　　$13,150,000\times\dfrac{7.8}{110}=932,454$ 　　③　合計 　　　①＋②＝1,645,793 (2)　基礎税額 　　$1,650,714-4,970=1,645,744$ (3)　控除対象仕入税額 　　$1,645,744\times\dfrac{713,339\times80\%+932,454\times60\%}{1,645,793}=1,130,109$	
	金額　　　　　　　　　円 1,130,109

Chapter 11｜簡易課税制度Ⅰ｜**11-17**（303）

〔売上げの返還等対価に係る税額〕

計　算　過　程　　　　　（単位：円）	金額	円
$70,100 \times \dfrac{7.8}{110} = 4,970$		4,970

〔貸倒れに係る税額〕

計　算　過　程　　　　　（単位：円）	金額	円
$23,000 \times \dfrac{7.8}{110} = 1,630$		1,630

〔控除税額小計〕

計　算　過　程　　　　　（単位：円）	金額	円
$1,130,109 + 4,970 + 1,630 = 1,136,709$		1,136,709

Ⅲ　納付税額の計算

〔納付税額〕

計　算　過　程　　　　　　　　　　　　　　　　　（単位：円）		
(1)　差引税額 　　　$1,650,714 - 1,136,709 = 514,005 \rightarrow 514,000$　（百円未満切捨） (2)　納付税額 　　　514,000	金額	円 514,000

解　説

　貸倒損失額は、みなし仕入率の計算には、関係ありません。

········ *Memorandum Sheet* ········

2025年度版　ネットスクール出版
税理士試験教材のラインナップ

● 税理士試験に合格するためのメイン教材

税理士試験教科書・問題集・理論集

ネットスクール税理士WEB講座の講師陣が自ら「確実に合格できる教材づくり」をコンセプトに執筆・監修した教材です。

税理士試験の合格に必要な内容を効率よく、かつ、挫折しないように工夫した『教科書』、計算力を身に付ける『問題集』、理論問題対策の『理論集』から構成されており、どの科目の教材も、豊富な図解と受験生がつまずきやすいポイントを押さえた、ネットスクール税理士WEB講座でも使用している教材です。

簿記論・財務諸表論の教材

税理士試験教科書	簿記論・財務諸表論Ⅰ　基礎導入編【2025年度版】	3,630円（税込）	好評発売中
税理士試験問題集	簿記論・財務諸表論Ⅰ　基礎導入編【2025年度版】	3,300円（税込）	好評発売中
税理士試験教科書	簿記論・財務諸表論Ⅱ　基礎完成編【2025年度版】	2024年9月発売	
税理士試験問題集	簿記論・財務諸表論Ⅱ　基礎完成編【2025年度版】	2024年9月発売	
税理士試験教科書	簿記論・財務諸表論Ⅲ　応用編【2025年度版】	2024年11月発売	
税理士試験問題集	簿記論・財務諸表論Ⅲ　応用編【2025年度版】	2024年11月発売	
税理士試験教科書	財務諸表論　理論編【2025年度版】	2024年12月発売	

☆簿記論・財務諸表論の方はこちらもオススメ！☆

穂坂式 つながる会計理論

税理士 財務諸表論 穂坂式 つながる会計理論【第2版】	2,640円（税込）	好評発売中

過去問ヨコ解き問題集

税理士試験過去問ヨコ解き問題集 簿記論【第3版】	3,740円（税込）	好評発売中
税理士試験過去問ヨコ解き問題集 財務諸表論【第5版】	3,740円（税込）	好評発売中

● 試験前の総仕上げには必須のアイテム！

ラストスパート模試　毎年5〜6月ごろ発売予定

試験直前期は、出題予想に基づいた『ラストスパート模試』で総仕上げ！
全3回分の本試験さながらの模擬試験を収載。
分かりやすい解説とともに直前期の得点力UPをサポートします。

※ 画像や内容は2024年度版をベースにしたものです。変更となる場合もございます。

● 税理士試験の学習を本格的に始める前に…

知識ゼロでも大丈夫！　税理士試験のための簿記入門
税理士試験向けの独自の内容で簿記の基本が学習できる1冊です。
本書を読むことで、税理士試験の簿記論に直結した基礎学習が可能なので、簿記の学習経験が無い方や基礎が不安な方にオススメです。
2,640円（税込）好評発売中！

法人税法の教材

税理士試験教科書・問題集　法人税法Ⅰ　基礎導入編【2025年度版】	3,300円（税込）	好評発売中
税理士試験教科書　法人税法Ⅱ　基礎完成編【2025年度版】	2024年9月発売	
税理士試験問題集　法人税法Ⅱ　基礎完成編【2025年度版】	2024年9月発売	
税理士試験教科書　法人税法Ⅲ　応用編【2025年度版】	2024年12月発売	
税理士試験問題集　法人税法Ⅲ　応用編【2025年度版】	2024年12月発売	
税理士試験理論集　法人税法【2025年度版】	2024年9月発売	

相続税法の教材

税理士試験教科書・問題集　相続税法Ⅰ　基礎導入編【2025年度版】	3,300円（税込）	好評発売中
税理士試験教科書　相続税法Ⅱ　基礎完成編【2025年度版】	2024年9月発売	
税理士試験問題集　相続税法Ⅱ　基礎完成編【2025年度版】	2024年9月発売	
税理士試験教科書　相続税法Ⅲ　応用編【2025年度版】	2024年12月発売	
税理士試験問題集　相続税法Ⅲ　応用編【2025年度版】	2024年12月発売	
税理士試験理論集　相続税法【2025年度版】	2024年9月発売	

消費税法の教材

税理士試験教科書・問題集　消費税法Ⅰ　基礎導入編【2025年度版】	3,300円（税込）	好評発売中
税理士試験教科書　消費税法Ⅱ　基礎完成編【2025年度版】	2024年9月発売	
税理士試験問題集　消費税法Ⅱ　基礎完成編【2025年度版】	2024年9月発売	
税理士試験教科書　消費税法Ⅲ　応用編【2025年度版】	2024年12月発売	
税理士試験問題集　消費税法Ⅲ　応用編【2025年度版】	2024年12月発売	
税理士試験理論集　消費税法【2025年度版】	2024年9月発売	

国税徴収法の教材

税理士試験教科書　国税徴収法【2025年度版】	4,620円（税込）	好評発売中
税理士試験理論集　国税徴収法【2025年度版】	2024年9月発売	

書籍のお求めは全国の書店・インターネット書店、またはネットスクールWEB-SHOPをご利用ください。

ネットスクール WEB-SHOP

https://www.net-school.jp/

ネットスクール WEB-SHOP　検索

※ 書名・価格・発行年月は変更する場合もございますので、予めご了承ください。（2024年8月現在）

本書の発行後に公表された法令等及び試験制度の改正情報、並びに判明した誤りに関する訂正情報については、弊社WEBサイト内の『読者の方へ』にてご案内しておりますので、ご確認下さい。

https://www.net-school.co.jp/

なお、万が一、誤りではないかと思われる箇所のうち、弊社WEBサイトにて掲載がないものにつきましては、**書名（ＩＳＢＮコード）と誤りと思われる内容**のほか、お客様の**お名前及び郵送の場合はご返送先の郵便番号とご住所を明記**の上、弊社まで**郵送またはe‑mail**にてお問い合わせ下さい。

＜郵送先＞　〒101－0054
　　　　　　東京都千代田区神田錦町3－23メットライフ神田錦町ビル3階
　　　　　　ネットスクール株式会社　正誤問い合わせ係
＜e‑mail＞　seisaku@net-school.co.jp

※正誤に関するもの以外のご質問、本書に関係のないご質問にはお答えできません。
※<u>お電話によるお問い合わせはお受けできません。</u>ご了承下さい。

税理士試験　教科書・問題集

消費税法Ｉ　基礎導入編　【2025年度版】

2024年8月8日　初版　第1刷

著　　　　者	ネットスクール株式会社
発　行　者	桑原知之
発　行　所	ネットスクール株式会社　出版本部
	〒101－0054　東京都千代田区神田錦町3－23
	電話　03 (6823) 6458 (営業)
	ＦＡＸ　03 (3294) 9595
	https://www.net-school.co.jp
執筆総指揮	山本和史
表紙デザイン	株式会社オセロ
編　　　集	吉川史織　加藤由季
ＤＴＰ制作	中嶋典子　石川祐子　吉永絢子
	有限会社ドアーズ本舎　長谷川正晴
印刷・製本	日経印刷株式会社

©Net-School　2024　　Printed in Japan　　ISBN　978-4-7810-3840-7

本書は、「著作権法」によって、著作権等の権利が保護されている著作物です。本書の全部または一部につき、無断で転載、複写されると、著作権等の権利侵害となります。上記のような使い方をされる場合には、あらかじめ小社宛許諾を求めてください。

落丁・乱丁本はお取り替えいたします。